天，每隔三四分钟就向我们扑来；船周围的境况更是悲惨，原来停泊在我们附近的两艘船因为晃动得太厉害，已经把船侧的桅杆都砍掉了。

突然，我们船上的人都惊呼起来。原来，停在我们前面约一海里远的一艘船已经被海水吞没了。另外两艘船则被狂风吹得脱了锚，只得冒险离开港口驶向大海，船上的桅杆也一根不剩了。小船的境况要好一些，因为它们可以轻盈地漂在水面上，但也有两三只小船被风刮得从我们旁边飞驶而过，只挂着角帆随风漂向远方。

我看到不远处几艘船正在汹涌澎湃的波涛中迅速下沉。

到了傍晚，大副和水手长恳求船长砍掉前桅。船长当然是很不愿意的。但水手长抗议说，如果不砍掉前桅，船就有沉没的危险。船长无法辩驳，也只好答应了。但船上的前桅被砍下来后，主桅就失去了控制，随风摇摆，船也随之剧烈摇晃起来。结果，他们只好把主桅也砍掉了。这样，整艘船就只剩下了一个空荡荡的甲板。

我当时的心情简直糟透了。我只是一个初次航海的青年，不久前那次小风浪已把我吓得半死，更何况这次真的遇上了大风暴！此时此刻，当我执笔记述自己当时的心情时，我感到，那时的我固然也害怕死，但使我更害怕的却是想到自己违背了自己不久前所作的忏悔，并且又像在上一次危难中那样重新下定种种决心，这种恐惧感比死亡更恐怖。

风越刮越猛，就连船上最有经验的水手都认为，他们平生从未遇到过这么厉害的大风暴。

海里：通常，地球表面1弧分的长度为1海里。按照国际单位制规定，1海里等于1.852千米。目前，"海里"这种单位制普遍应用于航海和航空运输领域。

为了求得一线生机，我和水手们不停地抽水。

英尺：英美制长度单位，在国际单位制中，1英尺等于12英寸，合0.3028米，0.9144市尺。旧时，英尺也被记做呎。

我们的船虽然坚固，但因载货太重，所以吃水很深，一直在水中剧烈地晃动。水手们不时地喊叫着船要沉了。当时我还不知道"沉"究竟意味着什么，这对我倒也是一件好事，否则恐怕我当时就撑不下去了。

到了半夜，忽然从船舱里跑出来一个水手，他边跑边喊船底漏水了。接着，又有一个水手匆忙跑上来说，底舱里已有四英尺深的水了。于是，全船的人都被叫去抽水。

听到船底漏水时，我感到自己的心好像突然停止了跳动。我当时正坐在自己的舱房的床边，一下子感到再也支持不住，就倒在了船舱里。这时，有人冲我喊："以前你什么事都不会干，现在至少可以去帮着抽水啊！"听了这话，我立即打起精神，来到抽水机旁，十分卖力地干起来。

正当大家全力抽水时，船长发现有几艘小煤船因经不起风浪而随风向海上漂去。当他们从我们附近经过时，船长就下令放一枪，作为求救的信号。当时，我不知道为什么要放枪，所以听到枪声时非常吃惊，以为船破了，或是发生了什么可怕的事情。结果，我吓得晕倒在抽水机旁。另一个人立刻上来接替我抽水。他一定以为我已经死了，所以把我推到一边，任由我躺在那里。过了好一会儿，我才苏醒过来。这时，风浪更加凶猛了，船摇晃得也更厉害了。我看到船长、水手长，以及其他一些平时很冷静的人都在不断地祈祷。看来，他们都觉得船随时都有沉没的危险。

尽管我们一直不停地抽水，但底舱里进的水还是越来越多。最后，船长只得不断鸣枪求救。不久，一艘轻量级的船顺风从我们前面漂过，船上的人冒险放下一艘小艇来救我们。

　　海上波浪翻滚，小艇上的人冒着极大的危险才划近了我们的大船。但浪太大了，他们无法靠拢我们的大船，我们也无法下到他们的小艇。最后，小艇上的人拼命划桨，向我们的大船靠拢。我们则从船尾抛下一根带有浮筒的绳子，并尽量把绳子放长。小艇上的人几次努力后，终于抓住了绳子。紧接着，我们就慢慢地用力把小艇拖近船尾，这样一来，全体船员才下到了小艇。此时此刻，他们的大船已经开得太远了，而我们不能控制小艇的方向，所以已无法再回到他们的船上去，大家商量后决定直接向岸上划去。我们的船长许诺，万一小艇在岸边触礁，他将照价赔偿给他们船长。

　　于是，我们划着小艇，随浪逐流，逐渐向岸边漂去。

　　我们刚离开大船不到一刻钟，就看到大船在海浪中

小艇

　　小艇小巧灵活，在暴风雨中反而比大船更安全一些，所以经常被用作救生的工具。

　　我看到船长在不停地祷告，心里更加恐慌。

沉没了。这时，我平生第一次懂得了什么叫海难，同时也更真切地体会到了大海的力量与残酷。当水手们告诉我大船正在下沉时，我几乎不敢抬头看一眼。

接着，我们又划了很久。当小艇被冲上浪尖时，我们已经能看到海岸了。但小艇前进的速度太慢了，我们费了好大劲儿才使它靠了岸。等全体安全上岸后，我们步行到了雅茅斯港口。我们这些受难的人受到了当地官员、富商和船主们的热情款待。他们妥善安排了我们的住宿，还为我们筹足了回赫尔市的旅费。

当时，我要是还有点头脑，就应回到赫尔，回到家里。我父亲也会像《圣经》故事中所说的那个父亲，杀肥牛来迎接我这个回头的浪子。因为家里人听说了我所搭乘的那条船在雅茅斯遇难沉没的事，但是之后很久，他们才得知我并没有葬身鱼腹，所以都感到万分庆幸。但我厄运未尽，它一直以一种不可抗拒的力量迫使我不思悔改，违背理智的召唤，甚至不愿从初次航海所遭遇的两次灾难中接受教训。

海难

海难指船舶在航行过程中遭遇自然灾害或其他意外事故所发生的灾难。有些发生海难的船只沉入海中，长年累月地留在海底，成了一些鱼类的家。

我们靠一艘小艇逃离了危险，眼看着我们的大船沉没了。

我的那位朋友，也就是以前怂恿我出海的船长的儿子达斯，现在反而不如我那样勇往直前了。到雅茅斯两三天后，他才有机会同我谈话。他愁容满面，不停地摇头叹息，问我这几天过得如何。他还带我去他父亲那儿。他父亲以郑重而关切的口吻对我说："年轻人，你不能再出海了，你应该把这次出海当作一个惨痛的教训，也许你不适合做一个水手。"

我不想放弃自己的航海梦想，于是又一次出海了。

"为什么，先生？"我不解地问，"难道你以后也不再出海了吗？"

"那是另一回事。"他说，"航海是我的职业，也是我的责任。在你这次尝试性的航海过程中，上帝已经让你尝到了苦头，也许我们这次遭遇海难，也是你的缘故。请问，你到底是个什么人？到底为什么要出海呢？"

于是，我把自己的一些经历讲给他听，其中包括我父亲对我出海的反对。没想到，他听到最后竟然勃然大怒："我怎么会让你这种倒霉蛋混上我的船呢？"我认为，他是因为蒙受了损失才向我发泄的。后来，他又郑重其事地跟我谈话，劝我回到父亲身边。

对于船长的话我不置可否。不久，我就和他分手了。从此以后，我再也没有见过他。当时，我身上还有些钱，便通过陆路到了伦敦。一路上，我都在进行着激烈的思想斗争，不知道自己该选择哪种生活道路。一段时间过后，那段可怕的海上遭遇逐渐从我的脑海中消失了，最后，仅有的一点回家的念头也被我完全抛在了一边。于是，我决定再去航海，很快便上了一艘开往非洲几内亚的船。

非洲

非洲是世界第二大洲，因悠久的历史和得天独厚的自然资源而闻名于世，所以也是16世纪航海家们的首选之地。

2

沦为海盗的奴隶

在这位船长朋友的指导下，我不但学到了很多航海知识，而且还成了一个商人。

英镑：英国官方货币和货币单位名称。1英镑等于100便士。英镑由英国中央银行发行，最常用的表示英镑的符号是"£"。

幸运的是，我所乘坐的这艘船的船长对我很好。很快，我们便成了亲密无间的好朋友。他曾到过几内亚沿岸，在那儿做了一笔不错的买卖，赚了不少钱。所以，他决定再走一趟。他建议我先买一些货物放在船上，然后到各港口去卖，这样可以赚点钱。我听了他的话，带了一批玩具和其他小玩意儿，加起来大约值四十英镑。这些钱还是我靠一些亲戚的帮助凑齐的。我相信，他们肯定把这件事告诉了我的父亲，或至少告诉了我的母亲。然后，我的父亲或母亲出了钱，再由亲戚寄给我，作为我第一次做生意的本钱。

这次航海可以说是我一生的航海活动中唯一成功的一次。这完全归功于我那位船长朋友的无私帮助。在他的指导下，我还学会了一些有关航海的数学知识和方法，以及记航海日志和观察天文。总之，在他的帮助下，我懂得了一些做水手的基本常识。在这次航行结束时，我带回了五磅零九盎司金沙。回到伦敦后，我用它们换回了约三百英镑，赚了不少钱。

不幸的是，我那位船长朋友在回伦敦后不久就去世了。尽管再也得不到他的帮助，我还是决定再去几内亚一趟。于是，我踏上了同一条船。这时，原来船上的大副做了船长。这次我带了一百英镑，把其余的两百英镑存在我那位船长朋友的太太那里。

这是我平生最倒霉的一次航行。当时，我们的船向加那利群岛驶去，或者说得更确切些，正航行于这些群岛和非洲西海岸之间。一天拂晓，突然一艘海盗船扯满了帆从我们后面追了上来。我们立即开始作战斗准备。

这些海盗本想攻击我们的船尾，结果却横冲到我们的后舷。于是，我们把八门大炮转向他们，一起向他们开火。海盗们一边后退，一边还击。他们的船上大约有两百人一起用枪向我们射击。幸好我们的人隐蔽得很好，没有一个人受伤。打退了海盗的这次袭击后，我们刚休息了一会儿，海盗们又一次对我们发动攻击，我们也全力反击。这一次他们从后舷的另一侧靠住我们的船，接着就有六十多人跳上了我们的甲板。海盗们一上船就乱砍乱杀，不一会儿就砍断了我们的桅索等船具。我们用枪、短柄矛和炸药包等各种武器奋力抵抗，把他们击退了两次。

但渐渐地，我们的战斗力越来越弱了，最后死了三个人，伤了八个人，我们只得投降。结果可想而知，我们全部被俘了。后来，我们被押送到一个叫做萨累

海盗

海盗是指在海上出没的强盗。17世纪时，欧洲的海盗非常多，他们的存在对商船构成了很大的威胁。

我们乘坐的船遭到了海盗的袭击。

西班牙

西班牙是欧洲古国之一，位于欧洲南部，濒临地中海。通常，西班牙人给人的感觉就像他们的舞蹈一样热情奔放。

我从一个商人沦为海盗的奴隶。海盗出海时，我就替他照看花园。

的港口。

不过，我在那儿受到的待遇，并没有像我当初担心的那么可怕。

其他人都被送进那里的皇宫，远离了海岸，我却被海盗船长作为他自己的战利品留下，成了他的奴隶。我的境况发生了突变，陡然从一个商人变成了可怜的奴隶，这令我很难接受，一时悲痛欲绝。这时，我不禁回想起父亲的预言，他说过我一定会受苦受难，并会呼救无门。现在我才感到，父亲的话完全应验了。

那个海盗船长，也就是我的主人，把我带回他家中。我满以为他出海时会带上我，如果这样，他迟早会被西班牙或葡萄牙的战舰俘获，那时我就可以恢复自由了。但我的这个希望很快就破灭了。因为他每次出海时，总把我留在岸上照看他那座小花园，并在家里做各种奴隶干的苦活。当他从海上回来时，又叫我睡到船舱里替他看船。

在这里，我头脑里整天都在盘算着如何逃跑，但怎么也想不出一个办法。大约两年后，情况突然有了变化，这使我重新升起了争取自由的希望。

这一年，我的主人在家里待的时间比以往

要长。在家期间，他经常乘坐一只舢舨去港口外捕鱼，每星期至少一两次，天气好的话，去的次数更多。每次出港捕鱼，他总让我和一个叫佐立的摩尔小孩替他摇船。有时，他也让我与一个叫马尔的摩尔人和佐立一起去替他打点鱼来吃。

一天早晨，马尔、佐立和我又出海打鱼。起初天气晴朗，风和日丽。可是不久海上便升起了浓雾。我们才划了约一海里就看

我们出海打鱼时遇上大雾，找不到回海岸的方向了。

不见海岸了。当时，我们甚至已经辨不清东南西北，急得手足无措，只好拼命划船。就这样，我们划了一天一夜。直到第二天早晨，我们才发现我们不仅没有划近海岸，反而划向了外海，离岸至少有六海里远。无奈之下，我们只好转向海岸，费了很大的劲才平安抵岸。

这次意外事件给了我们主人一个警告，他决定以后得小心谨慎一些，出海捕鱼时一定要带上指南针和足够的食品。他在所缴获的我们的那艘英国船上，找到了一只长舢舨。他就在长舢舨中间做了一个小舱，在舱后留了些空间，可以容一个人站在那里掌舵和拉下帆索；舱前也有一块地方，可容一两个人站在那里升帆或降帆。船舱做得很矮，但非常舒适，可容得下他和一两个奴隶在里面睡觉，还可摆下一张桌子。桌子上安装了一些抽屉，抽屉里面放着几瓶他爱喝的酒，以及他的面包、大米和咖啡之类的食物和饮料。

从此，我们就经常乘这只长舢舨出海捕鱼。因为我的捕鱼技术很好，所以他每次出去总是带着我。有一次，他要与当地两三位颇有身份的摩尔人乘我们的长舢

摩尔人

摩尔人是中世纪时西欧西班牙人和葡萄牙人对北非穆斯林的贬称，自20世纪初起，专指生活在撒哈拉沙漠西部地区的居民集团。摩尔人一般住在带有阳台和花园的住宅里。

主人晚上想要招待客人，吩咐我们去打些鱼来。

舢舨出海游玩和捕鱼。为了款待客人，他预备了许多酒菜食品，并在头天晚上就送上了船。他还吩咐我从他大船上取下三支短枪放到舢舨上，把火药和子弹准备好。看来，他们除了想捕鱼外，还打算打鸟。

我按照主人的吩咐，把一切都准备妥当。第二天早晨，船也洗干净了，旗子也挂上了。不料，过了一会儿，我的主人一个人上船来。

他对我说，客人临时有事，这次不去了，下次再去，但他们会来家里吃晚饭，所以要我和马尔及佐立像往常一样去打点鱼来，以便晚上招待客人。他还特地吩咐，要我们一打到鱼就立即回来，送到家里。

这时，我那争取自由的旧念头又突然萌发起来。因为现在我拥有一艘完全由我支配的船，船上还有丰盛的食物——这是逃跑的最好时机。主人一走，我就着手准备起来，当然不是准备去捕鱼，而是准备远航。至于去哪儿，连我自己都不知道，也没有考虑过，只要离开这儿就行。

我计划的第一步是先对马尔说，我们不应当吃主人在船上准备的面包，而应该自己动手准备我们这次吃的东西。他说我的话非常对，就拿来了一大筐当地的甜饼干，又弄了三罐子淡水，一起搬到舢舨上。我还趁他们不注意，把一箱酒、六十多磅蜜蜡搬上船，顺便拿了一小包粗线、一把斧头、一把锯子和一只锤子。这些东西后来对我都非常有用，尤其是蜜蜡，可以用来做蜡烛。

想到将要离开这儿了，我兴奋得心怦怦乱跳，但表

捕鱼

对沿海的人来说，捕鱼是非常普通的事。据考证，在距今50万年前，印度的远古先民就过着渔猎采集的生活。

面上我还是表现得和平时一样，因为那个摩尔人马尔还在身旁，我得想办法甩掉他。

刚一出海，我们便碰上了逆风。马尔不愿意走远，船驶出不远，他便不耐烦地嚷着要回去。我吓唬他说，如果空手回去，肯定会挨主人骂。无奈，他只好随着我驾船向深海驶去。

当我们把船驶出了约三海里，我就借捕鱼把船停下，把舵交给佐立，自己向船头马尔站的地方走去。我弯下腰来，装作好像在他身后找什么东西似的。突然，我趁其不备，用手臂猛地一撞，把他推入海中。

马尔是个游泳高手，落水后很快就浮出海面向我呼救，求我让他上船。他在水里游得极快，而这时风不大，小船行驶速度也很慢，眼看他就要赶上来了。我走进船舱，拿出一支鸟枪，把枪对准了马尔，说："你泅水泅得很好，完全可以泅回岸去！我不打算伤害你，但是如果你靠近我的船，那我就会打穿你的脑袋！我已决心逃跑争取自由了！"听了这话，马尔立即转身向海岸方向游回去。我毫不怀疑，他必然能安全到达海岸，因为他游泳的本领确实不赖。

深海捕捞

人们在深海中能捕捞到更多的鱼。随着新技术的日渐普及，人们已经采用声呐科技及吸管技术，进行远洋深海捕捞。

我悄悄走到马尔身后，把他推到了海里。

直布罗陀海峡：位于欧洲伊比利亚半岛南端和非洲西北角之间，是沟通地中海和大西洋的唯一通道，所以被誉为欧洲的"生命线"。

听到马尔的呼救声，佐立马上跑过来。我迅速用鸟枪瞄准他，说："佐立，你听好，我打算离开这儿，如果你对我忠诚，我会带着你一同离开，否则我就把你扔下海！"那孩子冲着我笑了，并发誓会忠于我，愿随我走遍天涯海角。他说这些话时的神情天真无邪，使我没法不信任他。

马尔在大海里泅着水，我们的船还在他的视线之内。所以，我故意让船逆着风径直向大海驶去。这样，他就会以为我是驶向直布罗陀海峡。

可是，到傍晚时，我改变了航向，把船向东南偏东驶去，这样船就可以沿着海岸航行。这时风势极好，海面也很平静，我就张满帆让船疾驶。以当时船的行驶速度来看，我估计第二天下午三点钟就能靠岸。那时我已经在萨累以南一百五十英里之外了，远离摩洛哥皇帝的领土，也不在任何国王的领地之内，因为那儿根本就看不到人迹。

听了我的话后，佐立立刻表示他愿意跟我一起走。

但是，我已经被摩尔人吓破了胆，生怕再落到他们的手里，同时风势又顺，于是我们的船不靠岸，也不下锚，一口气走了五天。后来，风向渐渐转为南风，我估计即使他们派船来追我，这时也该罢休了。于是我大胆地驶向海岸，在一条小河的河口下了锚。我不知道这儿是什么地方、在什么纬度，也不知道是什么国家、什么民族、什么河流。四周看不到一个人，我也不希望看到任何人。我现在所需要的只是淡水。

听到野兽的咆哮声，小佐立吓得瑟瑟发抖，哀求我等天亮后再上岸。

我们在傍晚时驶进了小河口，决定等到天黑就游到岸上去，摸一下岸上的情况。但到天黑时，各种野兽开始狂吠咆哮，可怜的佐立被吓得魂飞魄散，哀求我等天亮后再上岸。我说："好吧，佐立，我不去就是了。不过，我们白天上去说不定会碰见人。他们对我们也许像狮子一样凶呢！"佐立笑着说："那我们就开枪把他们打跑！"见到佐立这样高兴，我心里也很快乐。于是，我从主人的酒箱里拿出酒瓶，倒了一点酒给他喝，让他壮壮胆子。

不管怎么说，佐立的提议是有道理的。于是，我们下了锚，静静地在船上躺了一整夜。我是说，只是"静静地躺着"，事实上我们整夜都没合过眼。因为两三个小时后，便有一大群各种各样的巨兽来到海边，它们那可怕的咆哮声，是我平生从未听到过的。

狮子

狮子是一种大型的猫科动物，其体形巨大，体色有浅灰、黄色或茶色，雄狮还长有很长的鬃毛。狮子通常过着群居的生活。

佐立吓坏了，我自己也吓得要死。然而，更让我们心惊胆战的是，我们觉察到有一头巨兽向我们船边游来。虽然我们看不见它，但从其呼吸的声音来判断，一

我们在岸上不仅找到了淡水，还猎到了几只野兔。

定是个硕大无比的猛兽。佐立说是头狮子，我也认为有可能是，但不敢确定。佐立向我高声呼叫，要我起锚把船划走。"不，"我说，"佐立，我们可以把锚索连同浮筒一起放出，把船向海里移移，那些野兽游不了太远的，它们不可能跟上来。"我话音未落，那巨兽离船已经不到两桨远了。我拿起枪走到舱外，对着那家伙放了一枪。那猛兽立即调头向岸上泅去。

枪声一响，在岸边或山里的群兽漫山遍野地狂呼怒吼起来，那种情景真令人毛骨悚然。我想，这里的野兽以前大概从未听到过枪声，以至于枪声使它们如此惊恐不安。这更使我不得不相信，不要说晚上不能上岸，就是白天上岸也是个问题。落入野人手里，无异于落入狮子猛虎之口。

但不管怎样，我们总得上岸弄点淡水，因为船上剩下的水已不到一品脱了。佐立自告奋勇上岸寻找淡水，我表示担心他的安全，这孩子却说："假如我有危险，你就赶快驾船离开吧！"佐立的话让我很感动，我对他说："不，从现在开始，我们要同甘共苦，我不能让你一个人去冒险！如果野人来了，我们两个人一起开枪把他们打死，我们俩谁也不能让他们吃掉。"说着，我带上鸟枪，拉着佐立一起上了岸。

这是个荒凉的小岛，我和佐立在岛上逛了半天也没

品脱：英国法定度量衡制与美国习用度量衡制的容量单位。英制1品脱等于568.41立方厘米，美制1干品脱等于550.6立方厘米，1液品脱等于472.2立方厘米。

有见到人影。不过，我们很快发现了一个小湖泊，而且我还猎到了几只野兔。我们把所有的罐子都盛满了水，又把杀死的野兔煮了，饱餐一顿。在那一带，我们始终没有发现人类的足迹。

我们离开那个地方后，还有好几次不得不上岸取水。有一次是在大清早，我们来到一个小岬角抛了锚。这时正好涨潮，我们想等潮水上来后再往里驶。佐立的眼睛比我尖，他向我低声叫唤，说："看那儿，一个可怕的怪物正在小山下睡觉呢！"我朝他指的方向看了一下，原来那是一头巨狮。我说："佐立，你去把它打死吧。"佐立大吃一惊，说："我？我去把它打死？它一口就把我吃掉了。"我就不再对这孩子说什么了，只是叫他乖乖地待在那儿。我自己拿起最大的一支枪，悄悄上岸，对着那狮子的头开了一枪，但只打伤了它的前腿。狮子一惊，用三条腿站立起来，发出刺耳的吼叫声。我急忙拿起第二支枪，对准它的头部又开了一枪，这一次它颓然倒下，轻轻地吼了一声，便在那儿拼命挣扎。这时佐立的胆子大了，要求我让他也试试。"好吧，你去吧！"我说。于是他小心翼翼地举着支短枪走到那家伙跟前，把枪口放在它的耳朵边，向它的头部又开了一枪，终于结果了这头猛兽的性命。

这件事对我们而言只是玩乐而已，因为狮子的肉根本不能吃。

为了这样一个无用的猎物，浪费了三份火药和弹丸，实在不值得。佐立说，他一定得从狮子身

涨潮

海水的潮起潮落主要是月球和地球间的引力作用的结果，在涨潮的时候海水高涨，使原来的陆地成为海洋的一部分。人们一般在涨潮的时候出海。

我端起枪，射杀了那只狮子。

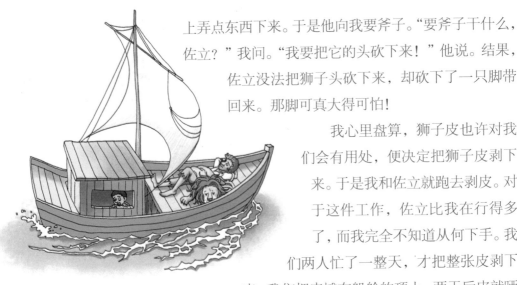

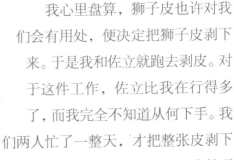

上弄点东西下来。于是他向我要斧子。"要斧子干什么，佐立？"我问。"我要把它的头砍下来！"他说。结果，佐立没法把狮子头砍下来，却砍下了一只脚带回来。那脚可真大得可怕！

我心里盘算，狮子皮也许对我们会有用处，便决定把狮子皮剥下来。于是我和佐立就跑去剥皮。对于这件工作，佐立比我在行得多了，而我完全不知道从何下手。我们两人忙了一整天，才把整张皮剥下来。我们把皮摊在船舱的顶上，两天后皮就晒干了。后来我就把它用作晚上睡觉时的被子。

晚上，我把温暖舒适的狮子皮当成被子盖在身上。

这次停船之后，我们一连向南行驶了十一二天。我们的粮食越来越少了，只得省着点吃。除了取淡水时不得不上岸外，我们的船很少靠岸。我知道，从欧洲开往几内亚海岸或去巴西和东印度群岛的商船都要经过这个海角或这些群岛。总之，我把自己的整个命运都押在这唯一的机遇上了，遇上商船就会得救，遇不上就只有死路一条。

下定了决心，我们就又向前航行了十天左右，这时开始看到了有人烟的地方。在我们的船驶过时，有两三个地方有一些人站在岸上望着我们，他们都浑身漆黑，一丝不挂。我注意到他们的手中都没有武器，只有一个人手里拿着一根细长的棍子。佐立告诉我，那是一种镖枪，他们可以投得又远又准。听了这话，我只好离得远远的，但用手势同他们交谈，向他们要东西吃。两个黑人明白了我的意思，立刻飞奔回他们的村舍，拿了两块晒干的肉和一些粮食给我。

正在这时，突然有两只很大的怪兽从山里冲到海边来。我们看到那些黑人惊恐万分，可是那两只野兽并没

咸水和淡水

大部分海和大洋里的水都是咸水，不能直接饮用。所以出海的人都要储备淡水，或者在适当的时候上岸寻找。

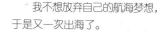

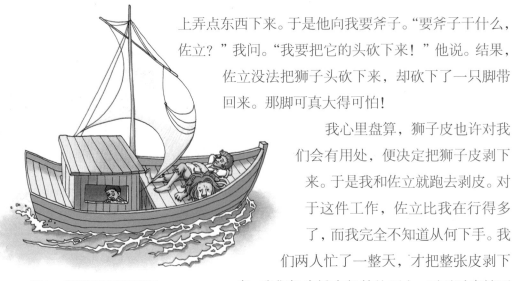

晚上，我把温暖舒适的狮子皮当成被子盖在身上。

有去袭击那些黑人，而是都跳到海里，互相嬉戏着游来游去，后来其中的一只竟游到我们的船跟前来了。我早就准备好了枪，还叫佐立把另外两支枪也装好了弹药。等它游到射程以内的时候，我立即开火，一枪打中了它的头部，那家伙当场毙命，另一只吓得逃走了。

豹子

豹子是对自然环境适应得最好的猫科动物之一。它们身上长有斑点，行动敏捷，有时也会到水中嬉戏玩耍。

黑人们听见枪声、看见火光的时候惊惶失措。我根据水里的血迹找到了那巨兽，又用绳子把它套住，并把绳子递给那些黑人，叫他们去拖。他们把那死了的家伙拖到岸上，发现那是一只很奇特的豹子，满身斑点，非常漂亮。黑人们一起举起双手，表示无比惊讶。

我看出那些黑人想吃豹子肉，我就做个人情把死豹子送给了他们。对此，黑人们感激万分。他们马上用一片削薄了的木片剥皮，比我们用刀子剥还快，我表示想要那张豹皮，他们立刻满不在乎地给了我。他们又给了我许多粮食，尽管我不知道那是些什么东西，但还是收

两只猛兽向岸上的黑人扑来。

陶器

　　当人类掌握了用火技术并开始吃熟食以后，就用土掺水在火上烧烤而发明了陶器。在陶器和金属器皿发明出来之前，人们一般用泥土制作盛东西的器皿。

　　黑人们为了感谢我的救命之恩，给我们送来了很多淡水和食物。

　　下了。接着，我把一只罐子拿在手里，把罐底朝天罐口朝下翻转过来，表示里面已经空了，希望装满水。他们马上告诉自己的同伴，不久便有两个女人抬了一大泥缸水走来给我们。

　　现在，我有了不少粮食，又有了水，就告别了那些友好的黑人，一口气又航行了十一天，中间一次也没有登过岸。后来，我看到有一片陆地，长长地伸到海里，于是我断定这边是佛特角，而不远处是佛特角群岛。

　　突然，佐立惊叫起来："主人，主人，有一只大帆船！"我跳出船舱一看，不仅立刻看到了船，而且看出，那是一艘葡萄牙船，于是我拼命向它开过去。

　　我虽然竭力张帆行驶，但不久就看出，我根本无法横插到他们的航路上，等不及我发信号，他们的船就会驶过去。正当我开始感到绝望时，他们好像在望远镜里发现了我们，便落下帆等我们。大约过了三小时光景，我才靠上了他们的大船。

我告诉船长我是英格兰人，是从萨累的摩尔人手下逃出来的，并把自己的一切东西都送给他，以报答他的救命之恩。但船长说什么也不要，并且还给手下的船员下令，不准他们动我的任何东西。

他看到我的小艇很不错，便对我说，他想把小艇买下来，放在大船上使用，并要我开个价。我告诉他，他愿出多少钱都可以。他说他可以先给我一张八十西班牙金币的期票，到巴西可换取现金。到了巴西，如果有人愿意出更高的价钱，他愿意全数补足。

我们碰到了一艘葡萄牙商船，所以获救了。

船长又表示愿出六十西班牙金币买下佐立。这钱我实在不能接受。我倒不是不愿意把佐立给船长，而是我不愿意出卖这可怜的孩子的自由。在我争取自由的逃跑过程中，他对我可谓忠心耿耿。我把不愿出卖佐立的原因告诉了船长，他认为我说得有理，就提出了一个折衷的方案：这孩子如果成为基督徒，则十年后还其自由，并签约为仆。基于这个条件，我终于同意了，因为佐立自己也表示愿意跟随船长。

对于船长的慷慨无私，我真是感激不尽。他不仅不收我的船费，并出二十块金币买下我的豹皮、四十块金币买下狮子皮。总之，我愿出售的东西，他都通通买下，我总共得了两百二十块西班牙金币。

去巴西的航行十分顺利，大约二十二天之后，我们就到达了群圣湾。现在我摆脱了困境，该打算打算下一步怎么办了。

黄金货币
由于黄金具有良好的物理属性和稳定的化学性质，并且便于贮藏，所以长期以来一直被当作一般商品的等价物货币。

3

流落荒岛

我买下了一片土地种植甘蔗，
决心以自己的双手发家致富。

我到巴西不久，船长便把我介绍给
一位种植园主，安排我住在他家里。我
看到巴西的这些种植园主生活很优裕，
所以也萌发了想要发家致富的念头。于
是，我用所有的钱买下了一些没有开垦
过的土地，并拟定了一个经营种植园和定居的计划。

开始两年，我只种些粮食。可是不久，我的种植园
就开始走上正轨了。在第三年，我种了一些烟草，同时
又购进了一大块土地，准备来年种甘蔗。

当我经营种植园的计划稍有眉目时，在海上救我的
那位船长回来了。这次他的船是停在这儿装货的，货装
完后再出航，航程将持续三个月左右。我委托他替我领
取我存在伦敦的那笔钱，买了一些种植园中需要的工
具，还有一些地地道道的英国货。我设法把这些东西以
高价出售，结果赚了四倍的利润。另外，船长还用那位
寡妇给他作为礼物的五英镑，替我买了一个用人，契约
期为六年。

接下来的一年，我的种植园经营得非常好。我收获
了五十捆烟叶，除了供应当地的需要外，还剩下很多。
因为我感觉人手很不够用，所以买了一个黑奴和一个欧
洲用人。

有一次，我与一些种植园主和商人谈论起购买黑奴
的事。第二天上午，有三个人来找我。他们说，他们对
我前一天晚上的谈话认真思考了一番，特地前来向我提

甘蔗

甘蔗属于禾本科甘蔗属，是
一种多年生草本植物。它是最主
要的糖料作物，世界食糖产品中，
蔗糖约占60%。

出一个建议。他们说，他们都像我一样有种植园，但都感到劳动力很缺乏。因此，他们想装备一条船去几内亚一次，买一些黑奴，回巴西后大家均分到各自的种植园里去。简而言之，现在的问题是，他们想知道我愿不愿意管理他们船上的货物，并经办几内亚海岸交易的事务。他们提出，我不必拿出任何资本，但回来时他们带回的黑奴与我一起均分。

黑人

黑人是世界三大人种之一。在历史上，黑人曾被作为奴隶出售。从16世纪初起，兜捕和贩卖黑奴的规模越来越大。

我经受不住这种计划的诱惑，就说我愿意前往，只要他们肯在我离开的这段时间里帮我照料我的种植园，这些条件他们都满口答应了，并且立了字据。我又立了一份正式的遗嘱，遗嘱上说，如果我出了意外，那位救我性命的船长就是我的法定继承人。不过他必须依照我的遗嘱处理我的财产：一半归他自己，一半运往英国。

总之，在又一次冒险航海之前，我采取了一切可能的措施，竭力保护好自己的财产，并维持种植园的经营。但是，如果我真正关注自己的利益，理智地判断一下的话，我就决不应该放弃自己正在日益兴旺的事业去航海。海上航行总是凶险难测的，更何况我这个人总是会遭到种种不幸。

于是，我把船只装备好，把货物也装好，同伴们也按照合同把我托付的事情安排妥当了。我于一六五九年九月一日上了船。八年前，我违抗父母严

在商人们的鼓动下，我又一次冒险出海了。

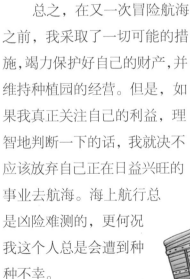

我们的船刚出海不久,就遭遇了强劲的风暴。

命,不顾自己的利益,从赫尔上船离家,也正是九月一日这一天。

我们的船载重一百二十吨,装备有六门炮,除了船长、他的小用人和我,船上还有十四个人。此外,船上没有什么大件的货物,只有一些适合与黑人交易的小玩意儿,以及其他一些新奇的杂货,例如望远镜、刀子、剪刀和斧子等。

我上船的第一天,船就开了。我们的船沿着海岸向北航行,计划行驶至北纬十至十二度后,横渡大洋,直达非洲。这是一条当时从南美去非洲的常用航线。一路上天气很好,只是太热。后来我们到达圣奥古斯丁角,那是在巴西东部突入海里的一块高地。过了圣奥古斯丁角,我们就离开海岸,向大海中驶去,航向是东北偏北,似乎要驶向费尔南多德诺罗尼亚岛,再越过那些岛屿向西开去。大约十二天后,我们的船穿过了赤道。根据观测记录,我们发现船已经到了北纬七度二十二分的地方。

不料,在这里我们突然遭到了一股强烈飓风的袭击。这股飓风开始从东南刮来,接着转向西北,最后刮起了强劲的东北风。猛烈的大风连刮了十二天。我们一筹莫展,只得让船逐浪漂流。不必说,在这十二天中,我每天都担心被大浪吞没,船上的其他人也没有一个指望能够生还。

不久,船上有一个人患热病死去了,还有一个人和一个小用人被大浪卷到海里去了。这使船上幸存的人感到更加恐惧,几乎惶惶不可终日。到了第二十二天,风

飓风

飓风通常指在加勒比海和西大西洋地区的一种移动的热带气旋。它常常行进数千千米,横扫多个国家,给人们造成巨大损失。

浪弱了一点，船长尽其所能进行了观察，发现我们的船现在所处的位置在巴西北部或圭亚那海岸，我们已经驶过了亚马孙河的入海口，靠近那条号称"大河"的俄利诺科河了。

　　船长主张把船开回巴西海岸，因为船已渗漏得很厉害，而且损坏严重，但我竭力反对驶回巴西。于是我们一起看了看美洲沿岸的航海图，决定向西北偏西驶去，希望能驶到一个英属海岛，在那里得到援助。但船行驶的方向却不是我们所能决定的，因为到了北纬七度左右的区域，我们又遇上了第二次风暴，它以同样凶猛的风力把我们向西方卷去。很快，我们的船就被刮到贸易航线以外的海域了。

　　狂风不停地刮着，船上的情况万分危急。一天早上，船上有个人突然大喊一声："陆地！"我们刚想跑出舱外，去看看我们究竟到了什么地方，船却突然搁浅，动弹不得了。

航海图：海洋地图的一种，是海上安全航行的指南。世界上最早的海洋地图是 14～17 世纪的波特兰型海图，现在的航海图要比波特兰海图复杂得多。

我们的船突然搁浅了。

独木舟

独木舟是靠船桨的划动来获取动力的，速度比后期的船只慢多了。早期的人类用独木舟在水中航行。

滔天大浪不断冲进船里，我们都感到已经死到临头了。于是，我们都躲到船舱里，逃避海浪的冲击，不知道当时船到了什么地方，是岛屿还是大陆，是有人烟的地方，还是杳无人迹的蛮荒地区，眼看着我们的船已经支持不了几分钟了，随时都可能被海浪撞成碎片，除非出现奇迹，风势会突然停下来。

在风暴到来之前，我们的船尾曾拖着一艘小艇。可是，大风把小艇刮到大船的舵上，小艇被撞破了，后来又被卷到了海里。幸运的是，船上还有另一艘小艇。大副抓住那艘小艇，大家一起用力，把小艇放到大船旁。然后，我们十一个人一起上了小艇，解开小艇的缆绳，就听凭上帝和风浪来支配我们的命运了。虽然这时风势已减弱了不少，但大海依然波涛汹涌，海水排山倒海地向岸上冲去。难怪荷兰人把暴风雨中的大海称为"疯狂的海洋"，真是形象极了。

我们上了小艇逃生，但是一个个巨浪排山倒海般地从我们后面滚滚而来。

我们明白，在这种洪涛巨浪中，我们的小艇是很难生存的。我们没有帆，即使有，也无法使用。我们只能用桨向岸上划去，但我们也知道，小艇一靠近海岸，就会被海浪撞得粉碎，我们不可避免地都要被淹死。然而，我们只能听天由命，顺着风势拼命向岸上划去。我们这么做，无疑是自己加速自己的灭亡。我们仅存的一线希望是，进入一个海湾或河口，侥幸把小艇划进去，或划近避风的陡岸，找到一片风平浪静的水面。

我们半划着桨，半被风驱赶着，大约走了四海里。忽然，一个巨浪排山倒海地从我们后面冲来，顿时把我们的小艇打得船底朝天。我们全都落到海里，通通被波涛吞没了。

为了防止海浪再一次把我卷走，我紧紧抱住了海边的岩石。

后来，海浪一直把我向岸边卷去，最后把我送到了沙滩上，但我已经被海水灌得半死了。我刚要站起来，又一个大浪扑过来，把我卷入二三十英尺深的水中。我一直屏住呼吸，后来感觉肺都快炸了。正在此时，我的头和手露出水面，虽然只短短两秒钟，却使我得以重新呼吸。紧接着，我又被埋入浪中，幸好这一次时间没有上次那么长，我总算挺了过来。等我感到海浪后退时，就拼命在浪里向前挣扎。费了好大的劲儿，我才又触到了沙滩。

我站了一会儿，喘了口气，一等海水退尽，立即拔脚向岸上奔去。但我还是无法逃脱巨浪的袭击。它再次从我背后汹涌而至，一连两次又像以前那样把我卷起来，推向平坦的海岸。其中后一次几乎要了我的命，因为这一次海浪把我冲到了一块岩石上，我立即失去了知觉，动弹不得。原来那块岩石正好撞在了我的胸口上，使我几乎透不过气来。假如此时再来一个浪头，我就肯定憋死在水里了。好在第二个浪头打来之前，我已经苏

岩石

岩石是在各种不同的地质作用下产生的由一种或多种矿物有规律组合而成的矿物集合体。在海边的岩石经常被海浪侵蚀得参差不齐。

同伴们都葬身鱼腹，只有我侥幸逃生了。

醒，紧紧抱住了岩石。等海水一退，我又向前狂奔一阵，冲向海岸。待到攀上岸上的岩石，趴在了地上，我才算脱离了危险，心里感到无限的宽慰，海浪已不可能再袭击我了。

我仰面向天，感谢上帝令我绝处逢生，因为就在几分钟之前，我还几乎无一线生还的希望。我在岸上狂乱地跑来跑去，高举双手，做出千百种古怪的姿势，来表达我的激动之情。这时，当我回忆着自己这次死里逃生的经过时，才完全理解了我们英国的一种风俗，即当犯人被套上绞索，正要被吊起来的时刻赦书到了，在这种情况下，往往有一名外科医生随赦书同时到达，以便给犯人放血，免得他喜极而血气攻心，晕死过去。

后来，我见到几顶软帽、一顶便帽，以及两只不成双的鞋子在海岸边随波逐流。想到同伴们全部都葬身大海了，只有我一人幸存下来，我更觉得有些不可思议。

这时，海上烟波迷茫，隐约能见到我们的那只大船在离岸很远的水中。我开始环顾四周，看看自己究竟到了什么地方，下一步该怎么办。

但是这一看使我的情绪立即低落下来。我虽然获救了，但是又陷入了另一种绝境。我身上除了一把小刀、一个烟斗和一小匣烟叶就别无他物；我浑身湿透，却没有衣服可更换；我又饥又渴，却没有任何东西可充饥解渴；我看不到任何出路，除了饿死，就是被野兽吃掉。有好一阵子，我在岸上狂乱地跑来跑去，像疯子一样。后来，夜色降临了，我想到野兽多半在夜间出来觅

烟草

烟草是茄科一年生草本植物。制烟用的烟草起源于美洲、大洋洲和南太平洋的一些岛屿。目前，世界上已发现的烟草有60多种。

食，更是恐慌不安。我想，若这儿真有猛兽出没，我的命运将会如何呢？

接着，我从海岸向岛上走了几十米，想找些淡水，结果真的找到了。这真使我大喜过望。喝完水，我又取了点烟叶放到嘴里充饥。在我附近有一棵枝叶茂密的大树，看上去有点像枞树。我爬上树，卧在树枝间，尽可能躺得稳当些，以免睡熟后从树上跌下来。我事先还从树上砍了一根树枝，做了一根短棍防身。由于疲劳至极，我很快就睡着了，而且睡得又熟又香。我想，任何人处在我现在的环境，都不会睡得像我这么香的。

搁浅：船只进入水浅的地方，不能行驶。这个词也用来比喻事情遭到阻碍，不能进行下去。

我一觉醒来时天已大亮。这时风暴已经过去了，海面上不再像前一天那样波浪滔天了。我很惊讶地发现，我们那只搁浅的大船被冲到先前我被撞伤的那块岩石附近。现在，大船离岸仅一海里左右，而且还好好地停在那儿。

我疲惫不堪，躺在一棵大树的树杈上睡着了。

我从树上滑下来，环顾四周，发现那艘用来逃生的小艇也被风浪冲到了岸边，我沿着海

木排

木排是把木头扎起来制成的，可以作为运输工具。鲁宾逊的生活物品就是用这种最简单的工具运输到岸上的。

岸向小艇走去，这才发现小艇与我所在的地方横隔着一个约有半英里宽的小水湾。于是，我折回来了，因为当前最要紧的是我得设法上大船，在大船上面找到一些生活必需品。

午后不久，海面风平浪静，潮水也已经远远退去了。我只要走下海岸游上几十米，就可以到达大船。这时，我心里不禁难过起来。因为我想到，倘若昨天我们全船的人不下小艇，仍然留在大船上，大家必定会平安无事。

当时天气很热，我便脱掉衣服跳下水去。可是，当我游近大船船身时却没法上船，因为船已经搁浅了，船舷离水面很高，我没有任何可以抓得住的东西。我又绕船游了两圈，忽然发现了一根很短的绳子。绳子从船头上悬挂下来，绳头接近水面。我毫不费力地抓住绳子，试探性地扯了扯，证实了绳子的那一头拴得很牢固。接着，我抓紧绳子往上攀登，很快就到了船上，进了船上的前舱。我发现船底虽然破了个大洞，但幸运的是，它是船头朝下、船尾翘出水面地搁浅在硬沙地上，所以船舱并没有被海水浸泡。

我奋力向搁浅的大船游去。

我走进舱内，发现放在船尾的东西几乎完好无损。我喜出望外，赶紧把能找到的饼干装进自己的衣袋。我还在大舱里找到了一些甘蔗酒，不禁先喝了一大杯。这时，我只想有一艘小船，把我认为将来用得着的东西统统运到岸上去。

我从大船上运回了很多有用的东西，这些东西在我以后的生活中都会用得着。

当时，船上有几根备用的帆杠，还有两三块木板和一两根多余的第二接桅。我振作起精神，把它们都从船上扔下去，再用绳子把它们一一拉近船边，接着把所有的木头绑在一起，两头尽可能地绑紧，扎成一只木排，最后把两三块短木板横放在上面。我走上去试了试，倒还稳当。木排做得相当牢固，也能吃得住相当的重量。

接着，我就考虑该装些什么东西上去，还要设法防止上面的东西被海浪打湿。于是，我打开三只船员用的箱子，把里面的东西倒空，再把它们一一放到木排上，用来装我搜寻到的食物：粮食、面包、三块荷兰酪干、五块羊肉干，以及一些剩下来的欧洲麦子——这些麦子原来是喂船上的家禽的。现在家禽都已死了，这些麦子将是我的了。船上本来还有一点大麦和小麦，可惜都被老鼠吃光了或搞脏了，对此我大为失望。

接着，我又发现了木匠箱子。此时，工具对我来说是最重要的，即使是整船的金子也没有这箱木匠工具有价值。我小心地把它搬到了小船上。

大舱里原来存放着两支很好的鸟枪和两支手枪，我也都拿来了。不仅如此，我又拿了几只装火药的角筒、一小包子弹和两把生锈的旧刀。我又找了半天，还找到

粮食作物

粮食作物是为了满足人类食粮和某些副食品的需要，或部分供作饲料的农作物，简称"粮食"。古语说民以食为天，说出了粮食的重要性。

晚上，我在箱子和木板搭成的简陋帐篷中过夜。

了三桶火药。其中两桶仍干燥可用，另一桶已经浸水了。随后，我就把两桶干燥的火药连同枪支一起放到木排上。收拾停当后，我就带着这些家当回到了荒岛。

接下来，我得观察一下荒岛周围的地形，找个合适的地方安身和贮藏东西，以防发生意外。当时，我还不知自己到底身处何地，是有人居住的岛屿，还是只有野兽出没的荒岛。

在离我不到一英里的地方有一座又尖又陡的小山。我拿了一支鸟枪、一支手枪和一角筒火药，向那座山的山顶走去。历尽艰辛，我总算爬上了山顶。从高处环顾四周，我才知道自己上了一个海岛：它四面环海，西边约十五海里处有两个比它还小的岛。

这个海岛非常荒凉，岛上只有一些野兽和许多飞禽。我在回来的路上，看见一只大鸟停在大树林旁的一棵树上，就向它开了一枪。枪声一响，从整个树林里飞出了无数只鸟，各种鸟鸣聒噪而起，乱成一片，但我却叫不出任何一只鸟的学名来。

此时，我感到对岛上的环境已了解得差不多了，就回到木排旁，动手把货物搬上岸。接着，我用那些箱子和木板搭成一个像木头房子似的住所，晚上就可以睡在里面了。

之后的几天里，我每天都要回到船上，找些有用的东西带回岛上，比如砂糖、酒桶、铁链、绳索和衣服等。在一个抽屉里，我还发现了许多钱币。我感到很好笑，

岛屿

散布在海洋、河流或湖泊中的小块陆地叫做岛屿。世界岛屿面积约占陆地总面积的7%，世界上最大的岛屿是位于北美洲东北部的格陵兰岛。

因为这东西在这个荒岛上毫无用处，可是转念一想，也许以后能用得到，所以我还是把钱拿走了。

在我离岸期间，我曾担心岸上的粮食会给什么动物吃掉。可是回来一看，却不见有任何不速之客来访的迹象。只有一次，我看见一只野猫似的动物站在我的一只箱子上，直直地瞅着我的脸，毫无惧色。我用枪把它拨了一下，可它一点都不在乎，因为它不懂枪是什么东西。于是，我丢给它一小块饼干，那家伙走过去闻了闻，就吃下去了，还想向我要。可是，我自己也实在没有多少了，所以只能拒绝它的要求。于是，那小家伙就走开了。

我不停地到大船上找东西、搬东西，直到一天夜里，暴风雨再一次侵袭，那艘大船消失了。接下来，我得找一个既卫生又方便的地方建造住所。

首先，我根据自己目前的境况，拟定了选择住所的几个条件：第一，必须要卫生，要有淡水；第二，要能遮阳；第三，要能避免猛兽或人类的突然袭击；第四，要能看到大海，万一上帝让什么船只经过，我就不至于失去脱险的机会，因为我始终存有一线希望，觉得自己迟早能摆脱目前的困境。

但是，我在岛上找了足足半天，才在一个小山坡旁发现一片平地。平地的后面是一座又陡又直的断崖，因此我不用担心有人或兽类从山顶偷袭。在山岩上，有一块凹进去的地方，看上去好像是一个山洞的进口，

山洞

山洞指位于山体上的洞穴。自然山洞的形成，一是由于山石的溶解，二是由于地质的陷落。

我物色了一个十分理想的地方，开始在这里建设我的新居。

帐篷

　　帐篷是撑在地上遮蔽风雨、日光的东西,多用帆布、尼龙布等制成。帐篷普遍用于牧民生活中,野外露宿时也会用到帐篷。

　　但实际上里面并没有山洞。"山洞"的前面是一片平坦的草地,我决定就在此处搭个帐篷。若把住所搭好,这块平坦的草地便犹如一块草皮,从门前向外伸展,形成一个缓坡,直至海边的一块低地。并且,这里白天被断崖挡住了阳光,到了傍晚,太阳才照过来,所以一直比别的地方凉爽。

　　搭帐篷前,我先在断崖前方的地面上划了一个半圆形,半径约十码。沿着这个半圆形,我插了两排结实的木桩。木桩打入泥土,像木橛子一样,高约五尺半,大头朝下,尖头朝上。两排木桩之间的距离不到六英寸。然后,我用从大船上取来的那些缆索沿着半圆形一层一层地堆放在两排木桩之间,一直堆到顶上,再把一些两英尺高的木桩打进地里,固定住缆索,做成了篱笆,这个篱笆十分结实牢固,不管是人还是野兽,都无法冲进来或攀越篱笆爬进来。

　　我没有打算在篱笆上做门,而是用一个短梯从篱笆

我把所有的东西都分类整理了一遍,再搬到我的新家。

顶上翻进翻出，然后收好梯子。这样，我四面都受保护，完全与外界隔绝，夜里就可以高枕无忧了。但现在先留了一个开口，以方便我搬运东西。

　　紧接着，我又花了极大的力气，把前面讲到的我的全部财产——全部粮食、弹药武器和补给品，一一搬到篱笆里面，或者可以说搬到这个堡垒里来。此外，我又给自己搭了一个大帐篷用来防雨。而且，我把帐篷做成双层的，在一个小的帐篷外面罩着一个大的帐篷，大帐篷上面又盖上一大块油布。那油布当然也是我在船上搜集帆布时一起拿下来的。

我把火药分成了许多小包，塞到了岩洞的石缝里，并做上了记号。

　　现在，我睡在一张吊床上，这吊床原是船上大副所用的，质地很好。

　　我把粮食和一切可能受潮损坏的东西都搬进了帐篷。完成这个工作后，我就把篱笆的出入口堵起来。此后，我就用一个短梯翻越篱笆进出。

　　这些工作一结束，我就开始在岩壁上打洞，把挖出来的土石从帐篷里运到外面，沿篱笆堆成一个平台，约一英尺高。这样，帐篷算是我的住房，房后的山洞就成了我的地窖。

　　就在我的新家即将完成的那一天，天空突然乌云密布、雷电交加。就在电光一闪、霹雳突至的刹那，一个念头也像闪电一样掠过我的大脑："天哪，我的火药！"想到一个霹雳就会把我的火药全部炸毁时，我几乎完全绝望了。因为我不仅要靠火药自卫，还得靠它猎取食物，如果没有了火药，以后的日子不堪设想。

　　幸运的是，暴风雨过后，我的火药还安然无恙，但

闪电

　　闪电是大气中的电荷或电位差足以克服空气阻力时所产生的大气放电现象。它经常发生在积雨云中，但也有可能发生在雨层云、雪暴和尘暴中。

山羊

山羊喜欢吃禾本科牧草或树木枝叶，适应性较强，饲养方便。山羊无论雌雄都有角，它们的角像弯刀一样向后弯曲。

我打死了一只母山羊，可怜的小山羊一直跟着我，久久不肯离开。

这场暴风雨使我心有余悸。因此，我把所有其他工作，包括搭帐篷、筑篱笆等都先丢在一边。雨一停，我便立刻着手做一些小袋子和匣子，把我的火药分成一百多包，分开贮藏在石头缝里，并小心地做上记号。这样一来，火药便不易受潮，而且万一发生什么情况，它们也不致于全部炸毁。完成这项工作足足花了我两个星期的时间。至于那桶受潮的火药，我倒并不担心会发生什么危险，所以我就把它放到新开的山洞里。

在包装和储藏火药的两星期中，我至少每天带枪出门一次。一来是为了散散心，二来可以了解一下岛上的物产，顺便猎获点什么可以吃的东西。

第一次外出时，我便发现岛上有不少山羊，还发现了山羊经常出没的地方。于是，我决定采用打埋伏的办法来获取这些猎物。我注意到，如果我在山谷里，哪怕它们在山岩上，也会惊恐地逃窜；但如果它们在山谷里吃草，而我站在山岩上，它们就不会注意到我。因此，打猎前，我先爬到山上，从上面打下去，这样往往很容易打中。我第一次开枪，便打死了一只正在哺乳小羊的母羊。母羊倒下后，小羊呆呆地立在它身旁。当我背起母羊往回走时，那只小羊也跟着我走，一直走到围墙外面。对此我心存不忍，于是放下母羊，把小羊抱进木栅，想把它驯养大。可是小羊一直不肯吃东西，没有办法，我只好把它也杀了吃了。这样，我一连吃了好多天的羊肉。我吃得很省，同时尽量节省着我的那些粮食，尤其是面包。

住处固定下来后，我面临的最迫切的事情就是要找个生火的地方，并且急需弄些柴来烧。我认定自己将要在这个孤零零的荒岛上度过余生了。一想到这些,我的眼泪就不由得夺眶而出。

有时,我不禁犯疑:苍天为什么要这样作践自己所创造的生灵,害得他如此不幸、如此孤立无援,又如此沮丧寂寞呢!在这样的环境中,有什么理由要我们认为生活于我们是一种恩赐呢?

我孤身一人流落在这座荒岛上,过着寂寞的日子。

　　可是,每当我这样想的时候,就有一种力量钻出来责备我。特别是有一天,我正带着枪在海边散步,寻思着目前的处境时,理智站出来劝解我:"不错,你现在的处境很孤寂,可是请你想想,还有同你一起来的那些人,他们没有保住性命,单单是你一个人逃出了绝境,这不是很值得庆幸的事情吗?"

　　这时,我又想到,要是那只大船不从搁浅的地方浮起来漂近海岸,并让我有时间从船上把一切有用的东西取下来,那我现在的处境又会怎样呢?假如我现在仍像我刚上岸时那样一无所有,既没有任何生活必需品,也没有任何可以制造生活必需品的工具,那我现在的情况又会怎么样呢?现在,这些东西我都有,而且还相当充足,即使以后弹药用尽了,不用枪我也能活下去。我这一生决不会受冻挨饿的,因为我早就考虑到各种意外,考虑到将来的日子了。

　　我想,当人们遭遇不幸时,人们应当考虑到其中所包含的幸运的一面,同时也应当考虑到更坏的情况,这样才能更好地面对自己的处境。

礁石

　　海洋中有很多礁石,有些出现在海面上,有些隐藏在海底,如果船只不小心触礁就会发生危险。

4

最初的日子

为了不至于把日子搞混了，我自制了一个简易的"日历"。

安息日：《圣经》记载，上帝在六日内创造天地万物，第七日完工休息。犹太教尊第七日这一天为圣日，名叫安息日。基督教以星期日为安息日，又称主日。

  现在，我要开始过一种寂寞的生活了，也许在这个世界上还没有谁过过这种日子。因此，我决定把这种生活的情况从头至尾，按时间顺序一一记录下来。我估计，我是九月三十日踏上这可怕的海岛的——当时刚入秋分，太阳差不多正在我头顶上。所以，据我观察，我应该处于北纬九度二十二分的地区。

  上岛后约十一二天，我忽然想到，我没有书、笔和墨水，一定会忘记计算日期，甚至连安息日和工作日都会忘记的。为了避免发生这种情况，我便用刀子在一根大柱子上用大写字母刻上一行字："我于一六五九年九月三十日在此上岸。"接着，我把柱子做成一个大十字架，立在我第一次上岸的地方。

  之后，我每天都用刀子在这根柱子的四边刻一个凹口，每七天刻一个长一倍的凹口，每一月刻一个再长一倍的凹口。这样，我就有了一个简易的日历，可以计算日月了。

  另外，我还应该提一下，我从船上搬下来的东西很多，虽然有些东西看起来价值不大，可用处却不小，如纸、笔、墨水、罗盘、望远镜和地图等。另外，我还找到了三本包装很精美的《圣经》，它们是随我的英国货一起运来的。我上船时，曾把这几本书打在行李里。此外，我还找到几本葡萄牙文的书籍，其中有两三本天主教祈祷书和几本别的书籍。对了，船上还有一条狗和两只猫。我把两只猫都带上岸，至于那条狗，我在第一次上船搬东西时，它就泅水跟我上岸了。在后来的许多年中，它一直是我忠实的伙伴。

《圣经》

《圣经》是基督教的经典，包括《旧约》和《新约》。一些国家的教堂里珍藏有《圣经》抄本。

由于缺乏适当的工具，我干一切工作都特别吃力。仅仅是把洞穴四周的围篱做好，就花了我将近一年的时间。因为每一根做围篱用的木桩，我都得到森林里去找，而且把合适的树干砍下来并搬运回家更是费时费事。因为刚砍下来的木头十分沉重，山路又崎岖不平，不能拖着走，只能慢慢地滚动。等到好不容易把它们推回家了，我又要把木头竖起来，再打到土里去，这真是又麻烦又辛苦。后来，我还在洞穴里用木板造了桌子、椅子和放东西的木夹子。如果不是沦落到这种境地，我绝对不相信自己会这么能干！

其实，我有的是时间，工作麻烦一点又何必介意呢？筑完围墙，我又有什么其他工作可做呢？现在我所能想到要做的其他事情，无非是在岛上各处走走，寻找食物而已。

山路凹凸不平，我只能推着笨重的木头缓缓前进。

这时，我开始认真地考虑自己的处境，并把每天的经历用笔详细地记录下来。我这样做，并不是为了留给后人看，因为我相信，在我之后，不会有多少人上这荒岛来；我这样做，只不过是为了抒发心事，可以每日浏览，聊以自慰罢

了。现在，我的理智已经逐渐控制住了颓丧的情绪，不再灰心丧气了。我用一种平和的心境，把当前的幸运和不幸、好处和坏处都客观地罗列出来。

祸与害：

我被困在一个荒凉的孤岛上，很难有获救的希望；

我与世隔绝，没有任何外界的信息；

我与人类隔绝，仿佛一个囚徒、一个流放者，没有人可以交谈；

我没有衣服、被褥；

我没有抵御野人和野兽的自卫能力和手段。

福与利：

同伴们都葬身海底，只有我还幸运地活着；

岛上虽然荒凉，但是我还有粮食，不至于饿死；

在这岛上我至今还没有见过猛兽；

这里的天气炎热，根本不用穿衣服；

这里空气新鲜，有利于身体健康。

这样分析比较之后，我不仅完全平静了下来，而且开始暗自庆幸。假如我在非洲遭遇海难，我肯定会遇到更多的危险，但上帝神奇地把船送到了这个海岸，又给我留下了这么多有用的东西，我还有什么可抱怨的呢？

流放：由权力机构强制某人长期离开本土的一种惩罚手段。受此刑罚者被置于流浪状态，失掉他所处的群体为他提供的保护。鲁宾逊用这个词来形容自己孤单的处境。

我很客观地把自己的幸运和不幸都写下来，心情便平静了许多。

看来，即使在我这样悲惨的处境中，也有值得庆幸的地方。我希望所有的人都能从我不幸的遭遇中取得经验和教训。那就是，在万般不幸之中，可以把祸福利害——加以比较，找到能够聊以自慰的理由。

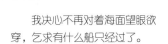

我前面已提到，我找到了笔、墨水和纸，但我用得非常节省。只要我有墨水，我可以把一切都如实记载下来，但一旦墨水用完，我就记不成了，因为我想不出有什么方法可以制造墨水。

我决心不再对着海面望眼欲穿，乞求有什么船只经过了。

这使我想到，尽管我已收集了这么多东西，我还缺少很多很多东西，墨水就是其中之一。其他的东西，像挖土或搬土用的铲子、鹤嘴斧、铁锹以及针线等，我都没有。至于内衣内裤之类，虽然缺乏，不久我也就习惯了。

这样想过后，我对自己的处境稍感宽慰，就不再对着海面望眼欲穿，希望有什么船只经过了。也就是说，我已把这些事丢在一边，开始筹划如何度日，并尽可能地改善自己的生活。

前面我已描述过自己的住所。那是一个搭在山岩下的帐篷，四周有用木桩和缆索做成的坚固的木栅。现在，我在木栅外面用草皮堆成了一道约两英尺厚的墙，并在大约一年半的时间里，在围墙和岩壁之间搭了一些屋椽，上面盖些树枝或其他可以弄到的东西用来挡雨。我把一切东西都搬进了这个围墙和我在帐篷后面打的山洞。

土著
古代游牧民族定居某地后不再迁徙的称为土著。小说中的野人就是指未开化的土著人。

接着，我开始着手制造一些必需的家具，譬如说椅子和桌子。没有这两样家具，我连世上一些最起码的生

我凭借自己的劳动,使自己的生活有了少许的改善。

活乐趣都无法享受到。但是,因为我仅有一把手斧和三把斧头,所以制造这些东西时极其笨拙,我想没有人会为制作这种小东西花费这么多的时间。

譬如说,为了做块木板,我得先砍倒一棵树,把树横放在我面前,再用斧头把两面削平,削成一块板的模样,然后再用手斧抛光。用这种方法,一棵树只能做一块木板,而且我只有有耐心才能完成。反正我的时间和劳动力都已经不值钱,怎么用都无所谓。后来,我用做好的木板沿着山洞的岩壁搭了几层一英尺半宽的大木架,把工具、钉子和铁器等东西分门别类地放在上面,又在墙上钉了许多小木钉,用来挂枪和其他可以挂的东西。

等到我把住所和一切家什都安排得井井有条之后,心烦意乱的阶段也已经过去了。这时,我开始正式地记日记。不过,我总是没有顺序地随手摘记。后来,墨水快没了,我不得不中止了记日记。

以下就是我的部分日记。

一六五九年九月三十日

我,可怜的鲁宾逊·克罗索,在一场可怕的大风暴中,在大海中沉船遇难,流落到这个荒凉的孤岛上。我暂且把这个岛称为"绝望岛"吧!因为我没有食物,没有房屋,没有衣服,没有武器,也没有获救的希望,将来的结局不是被野人或猛兽吞噬,就是因缺少食物而活活饿死。整整一天,我都在为自己凄凉的境遇悲

斧头
斧头是砍竹、木等用的金属工具,头部呈楔形,装有木柄。

痛欲绝。

十月一日

清晨醒来，只见那只大船已随着涨潮浮出水面，并被潮水冲到了离岸很近的地方。使我感到高兴的是，大船依然好好地停在那儿，没有被海浪打得粉碎。我想待风浪平息之后，就到船上弄些食物和日用品来救急。这时，我不禁想起了死去的同伴，要是他们都活着，也许我们可以把船修好，一起逃出这可怕的荒岛，重回文明世界。但现在这只是幻想而已。

十月一日——十九日

这几天，我连日上船，把我所能搬动的东西通通搬了下来，趁涨潮时用木排运上岸。这几天雨水很多，看来，此时这个岛上正是雨季。

十月二十日

我从大船往岛上运东西时，木排翻倒了，上面的货物也都翻到水里了，但木排翻倒的地方水很浅，那些东西又都很重，所以没有被冲走。退潮时，我还是捞回了不少东西。

雨季：每年降水比较集中的湿润多雨季节，是相对于旱季而言的，其时间和强度因各个地区所处地理位置不同而异。

潮退了之后，我又捞回了很多东西。

我带枪外出，杀死了两只像鸭子一样的飞禽。

海豹

海豹是一种哺乳动物，它的躯体呈流线型，皮毛短而光滑，抗御风寒能力强。海豹既可以在水中生活，又可以登陆栖息，以海洋生物为食。它善于游泳，其游泳速度为每小时 20～30 千米。

十月二十五日

雨下了一天一夜，还夹着阵阵大风。退潮时我看到大船已不复存在了。这一整天，我都在把从船上搬回来的东西安置好并覆盖起来，以免给雨水淋坏。

十一月一日

我在岩壁下支起一个帐篷，还打了几个木桩，挂上吊床——这是我上岸以来第一次睡在床上。

十一月二日

我把所有的箱子、木板，以及做木排用的木料，沿着半圆形内侧堆成一个临时性的围墙，作为我的防御工事。

十一月四日

我制定出简单的作息时间表，包括狩猎、休息、工作和睡眠的时间安排：每天上午，如果不下雨，就外出打猎三个小时，然后回来劳动；十一点吃午饭；从十二点到下午两点是午睡时间，因为这个时候天气特别热；黄昏时再工作，觉得累了便上床睡觉。

十一月五日

今天我带枪外出，并且把狗也带上了。结果，打死了一只野猫。野猫的毛皮很柔软，但肉却不能吃。我每打死一种动物，就会把它的毛皮剥下来，保存起来。

从海边回来时，我看到了各种不同的水鸟，但都叫不上名字。我竟然还看到两三只海豹。刚开始看到它们时，我还不清楚它们究竟是什么动物，后来才明白过来。但它们早已游向了大海。

十一月七日——十二日

天气开始转晴，人也觉得清爽了。

这几天我一直都在做一把椅子。费了好大的劲，我才勉强做成了椅子的样子。在这个过程中，我做了再拆，拆了再做，反复折腾了好几次。

因为我有时忘记在木桩上用刀刻痕记日子了，所以现在把日子搞混了，已经记不清哪天是星期天。

十一月十八日

我在树林里发现一种树，木质特别坚硬，有点像巴西的"铁树"，我打算拿它做铲子。我费了好大的劲才砍下了一块，之后又费了不少力气，才把木块带回住所。我慢慢把木块削成铲子的形状，铲柄完全像英国铲子一样，只是铲头没有包上铁，所以没有正式的铁铲那么耐用。不过，必要时用一下也还能勉强对付。我想，世界上没有一把铲子是做成这个样子的，也决不会有人花这么长的时间才做成一把铲子。

十一月二十三日——十二月九日

只要有精力和时间，我每天都工作。我花了整整十八天的功夫扩大和加深了岩洞。洞室一拓宽，存放东西就方便多了。这样，整个山洞成了我的贮藏室和军火库，也是我的厨房、餐室和地窖。

十二月十日

我本以为挖洞的工作已大功告成，可今天突然发生了塌方。大量的泥土从顶上和一旁的岩壁上塌下来。落下的泥土实在太多了，简直把我吓坏了。也许我把洞挖得太大了。要是塌方时我正在洞内，那我肯定被活活掩埋了。这次灾祸过后，我又

塌方：也称坍方，指因地层结构不良、雨水冲刷或修筑上的缺陷而导致的道路、堤坝等旁边的陡坡或坑道、隧道的顶部突然坍塌的现象。

我向山洞深处扩大自己住处的空间。

鸽子

鸽子亦称家鸽、鹁鸽。据有关史料记载，早在5000年以前，埃及和希腊人已把野生鸽驯养为家鸽了。

有许多工作要做了。我不但要把落下来的土运出去，还要安装天花板，天花板下面要用柱子支撑起来，免得再出现塌方的灾难。

十二月十一日——十六日

这些天我按计划动手工作，用两根柱子做支撑，每根柱子上交叉搭上两块木板撑住洞顶。接着我支起了更多的柱子和木板，花了大约一星期的时间把洞顶加固。洞内一行行直立的柱子，把洞室隔成了好几间。

十二月十七日——十九日

我把所有的东西都搬进洞里，并开始布置自己的住所。我在洞里装了许多木架，又在柱子上敲了许多钉子，把那些可以挂起来的东西都挂起来。我还用木板搭了个碗架似的架子，好摆吃的东西。但木板已经越来越少了。现在，我的住所看上去有点秩序了。

十二月二十四日

整日大雨倾盆，所以我今天没有出门。

我给一只腿受了伤的小山羊包扎了伤口。

十二月二十七日

今天我打死了一只小山羊，又把另一只小山羊的一条腿打瘸了。我抓住了瘸腿的小山羊，用绳子牵回了家。到家后我把山羊的断腿绑了起来，还上了夹板。

我在山上的石穴里发现了一些野鸽子。

附记：在我的精心照料下，受伤的小山羊活下来了，腿也长好了，而且长得很结实。后来，小山羊渐渐驯服了，整日在我住所门前的草地上吃草，不肯离开。这诱发了我的一个念头：我可以饲养一些易于驯服的动物，这样将来一旦弹药用完时也不愁没有东西吃。

一六六零年一月一日

今天天气仍然很热。我早晚各带枪外出一次，中午午睡。傍晚我深入孤岛中心的山谷时，发现了许多野山羊，但野山羊极易受惊，难以捕捉。我决定带狗来试试，看是否能猎取几只。

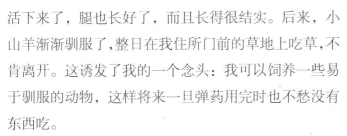

夹板：用来夹住物体的板子，多用木头或金属制成。在小说中，鲁宾逊用它来固定小山羊受伤的腿。

一月二日

照着昨天的想法，我今天带狗外出，叫它去追捕那些山羊。可是，我想错了，山羊不仅不逃，反而一起面对我的狗奋起反抗。狗也知道危险，不敢接近羊群。

一月三日——四月十五日

因为害怕会遭到野人或动物的袭击，所以在这段时间里我一直在加固围墙。

每天，只要雨不大，我总要到树林里去寻找野味，并常有一些新的发现。尤其是我发现了一种野鸽，它们不像斑尾林鸽那样在树上作窠，而像家鸽一样在石穴里

一个月后，我无意中撒下的谷壳中剩下的种子长出了嫩芽。

做窝。我抓了几只小鸽子，想把它们驯养大。后来这几只鸽子倒是养大了，可一大就飞走了。想来也许是我没有经常给它们喂食的缘故，事实上，我也没什么东西可喂它们。然而，我经常找到它们的窝，就捉些小鸽子回来，这种鸽子的肉非常好吃。

在料理家务的过程中，我发现自己还缺少许多东西，而且有些东西是我根本没办法制造的。譬如，我无法制造木桶，因为我根本无法把桶箍紧，更没办法把桶底拼合得不漏水。最后，我只好放弃了做桶的念头。

此外，我还无法做出蜡烛，所以一到天黑我就只能上床睡觉。在这儿一般七点左右天就黑下来了。我记得我曾有过一大块蜜蜡，那是我从萨累的海盗船长手里逃到非洲沿岸的航程中做蜡烛用的，现在早已没有了。后来，每当我杀山羊时，就把羊油留下来，再用泥土做成一个小盘子，在太阳下暴晒成小泥盘，然后把羊油放在泥盘里，再弄松麻绳后取下一些麻絮做灯芯。这样总算做成了一盏灯，虽然光线没有蜡烛明亮和稳定，但也至少给了我一点光明。

在我做这些事的时候，我偶尔翻到了在船上找到的一个小布袋，当时需要这个布袋，就把袋里的尘土和谷壳抖在岩石下的围墙边。想不到大约一个月之后，我发现地上长出了绿色的小芽。起初我以为那只是自己以前没有注意到的某种植物，但不久以后，我看到那块地上长出了十一二个穗头，与欧洲的大麦，甚至与英国的大

水稻

水稻是世界上最重要的粮食作物之一，产地遍及除南极以外的各大洲。我们吃的大米就是由水稻的果实加工而来的。

麦一模一样，这使我十分惊讶。尤其令我感到不可思议的是，在大麦的旁边，沿着岩壁稀稀落落长出了几棵水稻，我在非洲上岸时曾见过这种庄稼。

地震

地震包括火山地震、陷落地震和构造地震等。地震通常由地球内部的变动引起，另外，陨星撞击、人工爆炸等也会引起地震。

到了大麦成熟的季节，大约是六月底，我小心地把麦穗收藏起来，一颗麦粒也舍不得丢失。除了大麦，我还收获了二三十枝稻谷，我小心翼翼地把稻谷收藏起来，打算留着重新播种，希望能早日收获。这样，我就能吃到米饭和面包了。

四月十六日

正当我在帐篷后面的山洞口忙活时，山洞顶上突然倒塌下大量的泥土和石块，把我竖在洞里的两根柱子都压断了，发出了可怕的爆裂声。我惊慌失措，立即跑了出来。为了躲避山上滚落下来的石块，我爬到围墙外面。这时，我才明白发生了可怕的地震。我所站的地方在八分钟内连续震动了三次。这三次震动的强烈程度，足以把地面上最坚固的建筑物震倒。这时，大海汹涌震荡，我想海底下一定比岛上震动得更激烈。

地震让小岛剧烈地震动，山上的石块也滚落下来。

第三次震动过后好久，大地不再晃动了，我才松了一口气，但我还是不敢爬进墙去，生怕被活埋。我只是呆呆地坐在地上，不知如何才好。在惊恐中，我像一般人那样有口无心地叫着："上帝啊，发发慈悲吧！"地

我蜷缩在洞穴的角落里，无时无刻不在担心地震会再次发生。

震一过，连这种叫唤声也没有了。

不一会儿，起风了，大约不到半个小时就变成了可怕的飓风。岛上的一些树木被连根拔起。在狂风足足刮了三个小时之后，大雨又开始倾盆而下。我无处可躲，只好爬过围墙，躲到山洞里去，但我的心里却始终惶恐不安。

这场暴雨迫使我去做一件新的工作，就是在围墙脚下开一个洞，像一条排水沟，这样就可把水放出去，以免把山洞淹没。

大雨下了整整一夜，第二天又下了大半天，因此我整天都不能出门。现在，我心里平静多了，就考虑起今后的生活。我想，如果这岛上经常会发生地震，那么住在山洞里就太不安全了。我得考虑在开阔的平地上造一间小茅屋，四面像这里一样围上一道墙，以防野兽或野人的袭击。看来，我又得着手建设新居了。

四月二十二日

今天早上，我开始考虑实施我搬家的计划，但却无法解决工具问题。我有三把大斧和一把小斧，但由于经常用来砍削多节的硬木头，弄得都是缺口，一点也不快了。磨刀砂轮倒是有一个，但我却无法转动磨轮来磨工具。为了设法使磨轮转动，我煞费苦心。最后，我想出办法，用一根绳子套在一个轮子上，用脚转动轮子，两手就可腾出来磨工具了。

四月三十日

我发现我储备的食物已经不多了，就决定减为每天只吃一块饼干，这使我心里非常忧虑。

五月一日——六月十五日

龟

世界上的龟类共有数百种，生活在水里的有淡水龟、海龟，生活在陆地上的一般叫做陆龟。通常，海龟的腿扁平，像鳍一样，适于划水前进。

地震之后，我发现海面上出现了一只沉船。这使我把搬家的计划暂时搁置一边。当天，我便想方设法到沉船上去。但我发现，船上已没有什么东西可拿，因为船里都被沙泥堆塞了。可是我现在对什么东西都不轻易放弃，所以决定把船上能拆下来的东西通通拆下来。我相信，这些东西将来对我总会有些用处的。

磅：英美制重量单位，符号为1b。根据国际度量换算标准，1磅等于16盎司，合0.4536千克。

我总是在涨潮时外出觅食，退潮时就上船干活。这么多天来，我弄到了不少木料和铁器。如果我会造船，就可以造条小艇了。同时，我又先后搞到了好几块铅皮，大约有一百来磅重。我费尽力气，用起货铁钩撬松了一些东西。潮水一来，竟有几只木桶和两只水手箱子浮到了岸上，但是我检查后发现能用的只有几块木料，虽然还有一桶巴西猪肉，但那肉早被咸水浸坏了，且掺杂着泥沙，根本无法食用。

六月十六日

今天我走到海边时，看到一只大海龟。这是我上岛后第一次看到这种动物。其实这岛上海龟不少，只是我运气不佳，以前一直没有发现罢了。后来我发现，岛的另一边海龟更多，要是我在那边居住，每天可以捉到好几百只呢。

我发现一只大海龟，费了好大劲儿才把它逮到。

我把那大海龟拿来烤了吃。在它的肚子里，我还挖出了六十只蛋。我感到龟肉鲜美无比，是我平生尝到的最佳菜肴了。因为自从我踏上这可怕的荒岛,除了山羊和飞禽之外,还没有吃过别的动物的肉呢!

六月十八日

今天整天下雨,所以我没有出门。这回的雨有点寒意,我感到身子有点发冷。我知道,在这个纬度上,这是不常有的事。

六月二十日

昨晚整夜不能入睡,头很痛,并且有些发烧。

六月二十一日

我生病了,全身不舒服,可能是疟疾。一想到自己悲惨的处境,我就害怕得要死:既无人照顾,又没有医生治疗,我该怎么办呢?自从在赫尔市出发遭遇风暴以来,我第一次祈祷上帝。至于为什么祈祷,祈祷些什么,连自己也说不清楚,我的思绪混乱极了。

六月二十五日

今天发疟疾,很厉害,发作一次持续七八个小时,我时冷时热,最

疟疾:一种急性传染病,其病原体是疟原虫,由蚊子传播,周期性发作。症状是发冷发热,热后大量出汗,头痛、口渴、全身无力。

我梦见一个面目狰狞的人从天而降,向我扑来。

后终于出了点汗，感觉舒服了一点。

六月二十六日

今天我感觉好了一点，因为没有东西吃，就带枪出门打猎。虽然身体十分虚弱，但还是打到了一只母山羊。我好不容易才把山羊拖回家，烤了一点山羊肉吃，很想煮些羊肉汤喝，可是没有锅。

我拿出一片烟叶在嘴里咀嚼，希望病情能够好转。

六月二十七日

今天我在床上躺了一整天，口里干得要命，但身子太虚弱了，连爬起来弄点水喝的力气都没有。两三个小时后，寒热渐退，我才昏昏睡去，做了一个噩梦。

我梦见自己坐在围墙外面的地上，就是地震后我坐的地方，一个人从一大片乌云中从天而降，四周一片火光。他降落到地上，全身像火一样闪闪发光，使我无法正眼看他。

这个人向我走来，手里拿着一根长矛样的武器。当他走到离我不远的高坡上时，便对我讲话了，那声音可怕得难以形容。他对我说的话，我只听懂了一句："既然所发生的一切事情都不能使你忏悔，那么我现在就要你的命！"说着，他就举起手中的矛向我刺来……

六月二十八日

我一觉醒来，发现寒热全退，精神好了许多，于是起床准备食物。我盛了一大瓶水，再兑入四分之一品脱的酒，把它们调和在一起，然后我取了一块山羊肉，放在火上烤，这样就是一顿美餐了。

吃完饭，我又出去走了走。眼前的大海平静而安详，天上的云彩变幻多姿，让我想起了早已被遗忘的遥远的故乡。

夜里，我忽然想起巴西人用烟叶治病的偏方，于是

梦

梦是人在睡眠时局部大脑皮质还没有完全停止活动而引起的脑中的表象活动。在梦中会出现各种奇怪的场景和人物。

大雁

大雁是鸭科雁，属草食水禽。由于雁的种类和繁殖地点不一样，生活习性也有差异。小说中提到的黑雁是大雁的一种。

取出一卷烟叶，也想试试看。其实我并不知道怎样用烟叶治病，于是试了好几种方法——先取一片烟叶，放在嘴里嚼。没想到这一嚼反倒使我神志不清。因为烟叶还是青的，味道很猛烈，而我又不习惯吃烟叶。我又试着把烟叶在酒里浸一两个小时，等到睡前再服用。最后，我把一些烟叶放在火上烧，尽量把鼻子凑近烟气，据说熏热气能祛寒提神。

夜已深了，烟味弄得我头脑昏昏沉沉的，喝了酒后我就上床睡觉了。

六月二十九日

今天醒来时，我觉得身体完全恢复了，并且胃口也开了，因为我再次感到饿了。

六月三十日

今天，我又开始带枪外出，但不敢走得太远。最后我打死了一两只像黑雁那样的海鸟带回家，可又不想吃鸟肉，就又煮了几个海龟的蛋吃，味道还不错。晚上，我又喝了点浸了烟叶的甘蔗酒，因为我感到，正是昨天喝了这种药酒，身体才好起来的。这次我喝得不多，也不再嚼烟叶或烤烟叶熏头了。

病愈之后，我带枪外出，可是身体还是很虚弱。

七月三日

我的病完全好了。在体力恢复的过程中，我时时想到《圣经》上的这句话："你在患难的时候呼求我，我必拯救你，而你要颂赞我。"但我深深感到，获救是绝不可能的，我也不敢对此存有任何奢望。正当我为这种念头而感到灰心失望时，忽然醒悟到：我一心只盼望上帝把我从目前的困境中拯救出来，却没有想到自己已经获得了拯救。我不是已经从疾病中被拯救出来了吗？难道这不是一个奇迹？我没有把这一切看作上帝对我的拯救，因而也没有感恩，我还怎能期望更大的拯救呢？

想到这些，我深受感动，跪下来大声感谢上帝，感谢他使我病好复原。

七月四日

我拿起《圣经》，从《新约》读起。这次我是真正认真地读《圣经》，并决定以后每天早晚都要读一次，也不规定一定要读多少章，只要想读就读下去。

七月五日——十四日

这段时间我主要的活动是带枪外出。当时，我身体还很虚弱，所以只能是走走歇歇，随着体力逐渐恢复，再逐步扩大活动范围。我治病的方法可以说是史无前例的，也许这种方法以前从未治愈过疟疾。可我也不能把这个方法介绍给别人，因为虽然我用这个方法治愈了疟疾，但好长时间我的身体虚弱不堪，并且神经和四肢还经常抽搐。

这场大病给了我一个教训：雨季外出对健康危害最大，尤其是飓风和暴风带来的雨对人身体的危害更大。

从我自制的"日历"上看，我在荒岛上已生活了十个多月了，但我获救的可能性几乎等于零。我有充分的理由相信，在我之前，从未有人上过这座孤岛。现在，我已按自己的意愿安排好了住所，就很想进一步了解这座小岛，并看看岛上还有什么我尚未发现的物产。

我数了数"日历"上的刻痕，发现自己来到这个岛上已经快一年了。

《新约》：《圣经》两大部分中成书较晚而容量较小的第二部分，传达上帝与基督徒之间的誓约，并阐述其意义。

我发现一片蓊郁的森林，这里物产丰富，景色迷人。

芦荟
芦荟是一种生长在干燥地区的植物，因为其叶子中提取的油脂可以美容，所以深受人们喜爱。

5
建设家园

七月十五起，我开始对这个小岛做更详细的勘察。我先向小河的方向走去，在小河两岸发现了一片绿油油的草地，在地势较高的地方长着许多烟草，也是绿油油的，茎秆又粗又长。附近还有其他各种各样的植物，可惜我都不认识。

我到处寻找木薯，那是热带印第安人用来做面包的植物，可是没有找到。我发现了许多很大的芦荟，但当时不知其用途。我还看到一些甘蔗，因为是野生的，未经人工栽培，所以不太好吃。我感到这回发现的东西已不少了，在回家的路上，心里一直寻思着如何利用这些新发现，可是毫无头绪。我在巴西时不曾注意观察野生植物，如今陷入困境时也就无法加以利用了。

第二天，我沿原路走得更远，当小河和草地均已到了尽头时，树木茂盛了起来。在那儿还长着不少水果，地上有各种瓜类，树上爬满了葡萄藤，一串串的葡萄又红又大。这意外的发现使我非常高兴，但经验警告我不能贪吃。我记得，在伯尔伯里上岸时，几个在那儿当奴隶的英国人因吃葡萄太多，害痢疾和热病死了。但是，我还是想出了一个很好的方法利用这些葡萄，就是把它们放在太阳下晒干，制成葡萄干收藏起来。后来的事实证明，这是一个非常好的办法。

那晚我就留在那里，没有回家。到了夜里，我还是拿出老办法，爬上一棵大树，舒舒服服地睡了一夜。第二天早上，我又继续我的勘察。在山谷里，我大约朝北走了四英里，南面和北面是逶迤不绝的山脉。最后，我来到一片开阔地。

在这儿，一弯潺潺的清溪从山上流下来，向东蜿蜒而去。旷野里还盛开着许多不知名的花朵，仿佛一座多姿多彩的花园。站在这风景迷人的山谷里，我几乎怀疑它是不是真的存在。我怀着一种闲适的心情，接受这大自然的恩赐，我感觉这里的一切全都属于我，任我赏玩和遨游，我就是这里的国王。

我沿着这个风景秀丽的山谷往前走了一段路，又发现了许多椰子树、橘子树、柠檬树和橙子树。我采了不少葡萄、酸橙和柠檬等水果，准备带回家贮藏起来，好在雨季享用。可是这儿的葡萄长得太饱满，水分又多，在回家的路上就都挤碎流水了。可是我采集的酸橙不仅好吃，而且极富营养。后来，我把酸橙的汁掺上水，喝起来又滋养，又清凉，又提神。

回家后第二天，我做了两个布袋，准备再去装些

柠檬

柠檬原产于马来西亚，它淡黄色的果实中含有丰富的维生素 C 和柠檬酸，是一种很好的美容水果。

旷野里盛开着许多美丽的花朵，仿佛一座多姿多彩的花园。

水果回来。但是，当我再次来到那里时，却发现掉在地上的葡萄已经被什么东西践踏得粉碎。这使我大吃一惊。看来，附近一定有野兽出没。于是，我把许多葡萄采集下来，挂在树上晒干。至于其他的水果，我尽可能地多带些回来。

这次外出归来，我才发现自己所选定的住处，实在是全岛最坏的地方。所以，我开始考虑搬家的问题，打算在我前面到过的山谷里找一个安全的场所安家。因为那儿物产丰富，景色宜人。可是我再仔细一想，住在海边也有住在海边的好处。把自己关闭在岛中央的山林里，无异于把自己禁闭起来。思前想后，我觉得还是不搬家为好。

虽然家是不准备搬了，但我确实非常喜欢那个地方。因此，七月里，我常去那儿，还在那儿造了一间茅舍。在茅舍四周，我用矮树围了一道篱笆，再用重木桩做了栅栏。现在，我不但有了一个海滨住宅，又增加了一座山间别墅。但是这"别墅"没有小山来挡住风暴，下大雨时也没有山洞可以退身。

八月三日，我发现自己原先挂在树枝上的一串串葡萄已完全晒干了，成了上等葡萄干。我便动手把它们从树上收下来。当我把其中大部分葡萄干运到旧居山洞里贮藏起来时，外面突然下起了雨。从这时起，一直到十月中旬，几乎天天下雨，有时一连几天我都无法出门。

别墅：在城市的近郊或风景名胜区所建造的供住宿、休养、度假用的花园住宅。在小说中，别墅指鲁宾逊建在山谷中的小屋。

我在这个风景秀丽的地方搭建了一个小屋。

在这个雨季里，我的家庭成员增加了，这大大出乎我的意料。在此之前，我从船上带下来的一只猫不见了。我不知它是死了呢，还是跑了，所以心里一直很挂念。不料在八月底，它忽然回来了，还带回来了三只小猫。这使我惊讶不已。更使我感到奇怪的是，这些小猫完全是家猫，与大猫长得一模一样。它们是怎么生出来的呢？因为，我的两只猫都是母猫，据我所知，岛上确实有野猫，但那种野猫完全是另外一种品种，与欧洲猫不一样。后来，这三只小猫又繁殖了许多后代，给我带来了许多麻烦。最后，我不得不把这些泛滥成灾的猫视为害虫野兽，不是把它们杀掉，就是把它们赶出家门。

下雨的时候，我也冒险出去寻找食物。

从八月十四日到二十六日，雨下个不停，我一直被困在屋内，粮食贮备逐日减少。我曾冒险外出两次，第一次打死了一只山羊，第二次在二十六日，找到了一只大海龟。于是，我把粮食做了这样的分配：早餐吃一串葡萄干，中餐吃一块烤羊肉或烤海龟，晚餐吃两三个海龟蛋。

在被大雨困在家里的这段时间，我每天工作两三个小时扩大山洞，把山洞向一边延伸，一直开通到围墙外，作为边门和进出口。这样，我就可以从这条路进出了。但因为这样进出太容易了，到了晚上我反而睡不安稳。以前我总是把自己围起来，现在我却感到空荡荡的，觉得什么野兽都可通过边门来偷袭我。当然，在这个岛上，我至今还没有发现什么可怕的野兽，所见过的

猫

猫是一种哺乳动物。它行动敏捷，善跳跃，能捕鼠。现代家猫的祖先为非洲野猫，早在2500年前，古埃及人就开始驯养野猫以控制鼠害。

最大的动物也不过是山羊而已。

斋戒：在旧时指人们在祭祀鬼神时，穿整洁衣服，戒除嗜欲（如不喝酒、不吃荤），以表示对鬼神的虔诚。

九月三十日，我计算了一下柱子上的刻痕，发现我来到荒岛正好一周年了。所以，我把这天定为斋戒日。从早到晚，十二个小时中我不吃不喝。直到太阳下山，我才吃了几块饼干和一串葡萄干，然后上床睡觉。

我很久没有守安息日了。最初，我头脑里没有任何宗教观念，后来，我忘记把安息日刻成长痕来区别周数，所以根本就不知道哪天是那天了。现在，我把这一年的刻痕按星期划分，每七天留出一个安息日。算到最后，我发现自己漏划了一两天。

不久，我的墨水快用完了，就只好省着点用，只记些生活中的大事。至于其他一些琐事，我就不再记在日记里了。

这时，我也知道在这儿不像欧洲那样，一年分为春夏秋冬四季，而是分为雨季和旱季。并且，我也渐渐摸清了雨季和旱季的规律，知道雨季有时长，有时短，主要决定于风向。当然，这不过是我大致的观察罢了。生活经验告诉我，淋雨会生病，我就在雨季到来之前贮备好足够的粮食，这样我就不必冒雨外出觅食了。在雨季，我尽可能待在家里，做些适于在家做的工作。

我把自己到达孤岛的日子定做斋戒日。在斋戒日，我一天12个小时不吃不喝。

这个经验来之不易，是我花了一定代价才得到的。前面提到过，我曾收藏了几束大麦穗和稻穗。雨季刚过，我就用木铲

把一块地挖松，并把这块地分成两部分播种。在播种时，我忽然想到，不能把全部种子播下去，因为我尚未弄清楚什么时候最适宜下种。所以，我只播下了三分之二的种子，并且每样都留下来了一点。值得庆幸的是，我做对了。因为我种下的种子中，没有一颗长出来。因为种子

我将这些树修剪了一番，希望它们能够长得更好。

种下后，一连几个月没有下雨，土壤里没有水分，不能滋润种子生长。

发现第一次播下去的种子没有长出来，我料定是由于时值旱季。于是我想在另外的时间再试一次。二月份的春分前几天，我在茅舍附近掘了一块地，把留下的种子通通播了下去。接下来是三四月份的雨季，雨水滋润了种子，不久这些大麦和稻谷就长了出来，而且长势非常好。结果，我获得了一个好收成。但因为种子太少，所收获的大麦和稻子每种仅半斗而已。

后来经过试验，我成了种田好手，知道什么时候该下种，什么时候可以收获。现在我知道一年可播种两次，收获两次。

大约十一月时，雨季刚过，天气开始转晴，我去了乡间茅舍。我离开那儿已好几个月了，但那里一切如旧。我修筑的双层围墙不仅完好无损，而且从附近砍下来的那些树桩都发了芽，还长出了长长的枝条。我把它们修剪了一番，尽可能让它们长得一样高。这些树很快

联合耕作机械

鲁宾逊在孤岛上只能用最简单的工具进行劳作。在现代的农业中，经常会用联合耕作机械，这样操作者就会轻松很多。

砍倒一棵大树，对我来说并
不是一件轻松的事情。

把篱笆遮住了。整个旱季我都住在这里，
享受着荫凉。

我由此得到启发，决定在我原来住地的半圆形围墙外也种一排树。很快，我就在离篱笆大约八码的地方种了两排树，也可以说是打了两排树桩。不久，树就长起来了。起初，树木遮住了我的篱笆，使我的住所完全隐蔽起来。后来，它们又成了很好的防御工事。

慢慢地，我越来越真切地体会到了孤岛生活的乐趣。这时的我已经开始学会满足，并乐观地面对生活。我觉得在这种孤独寂寞的生活中，我可以获得比世界上任何地方都多的快乐。

在这种愉快的心境中，我开始了第三年的荒岛生活。这一年里虽没有什么特别的事值得记下来，不过我一直没有偷懒，总是按时把工作做好。我一般早上外出狩猎大约三个小时，然后就在家里处理猎物；中午，因为天气太热不能外出，我就在家里睡午觉；下午三四点，我就起床编制各种器具。不过，我偶尔会把工作和打猎的时间对调。

此外，我还得提一下我工作的艰苦性。因为缺少工具、缺少助手、缺乏经验，我做每件工作都要花费许多时间。例如，我花了整整四十二天的工夫才做成一块木板：首先，我花了三天的时间砍倒一棵大树，再花了两天时间把树枝削掉，这样树干就成了一根大木头；接着，我花费大量的时间慢慢劈削，把树干两边一点点地削平，削到后来，木头就轻了，这样我就可以搬动它了；

狩猎

　　狩猎是指在野外猎取鸟兽等动物，是主要的兽类资源利用方式之一。远在石器时代，人类就已经知道通过狩猎获取动物的毛皮御寒。

然后，我又把削轻的木头放在地上，先把朝上的一面从头至尾刨光削平，再把削平的这一面翻下去，转而削另一面，最后将整个木块削成约三寸厚的两面光滑的木板……就这样，我靠着耐心和不断的劳动，完成了许多常人难以想象的工作。

野兔

野兔是一种啮齿动物，它们性情懦弱，昼伏夜出，依靠快速奔跑来躲避危险，其奔跑速度能达到每小时50千米。

总体看来，看护和收获粮食，才是令我最烦恼的事情，因为总会有些"小偷"企图分享我的劳动果实。我说的"小偷"指的是这个岛上的小鸟、山羊和野兔。

我想尽了各种办法来对付这些"小偷"。为了防止山羊和野兔啃秧苗，我筑了一道篱笆把庄稼围起来。每天我还带着枪，时刻看守着我的麦田。只要有山羊和野兔走过来，我就开枪射击。在这样严密的防护下，它们只得放弃了我的麦田。

到了庄稼结穗的时候，我去田里看庄稼的生长情况，却发现许多只鸟围在那里。我生气极了，立刻向鸟群开了枪。枪声一响，无数飞鸟腾空而起，这时我才发现我的庄稼地中竟潜伏着这么一大群飞鸟。

为了捍卫自己的劳动果实，我时刻守卫在麦田旁。

接着，我抱着装好子弹的枪守在麦田边，而那些偷麦贼也都停在了四周的树枝上，似乎在等着我离开。于是，我假装慢慢走开。果然，我刚走出它们的视线，那些可恶的家伙就向田里飞去。

我愤怒无比，立即开枪打死了其中三只。接着，我把死鸟从

我把收获的粮食都保存下来，
留做下一季的种子。

英亩：英美式地积单位，1英亩
等于4840平方码，合4046.86平
方米。

麦田里捡起来，用英国惩治恶贼的办法，把它们用铁链锁起来，挂在高高的树枝上警告其他的鸟儿。想不到这个办法果然有效。从此以后，那些鸟儿不仅不敢再飞到田里，而且也在附近消失了。

十二月底是一年中第二个收获季节。收割庄稼需要镰刀，可是我没有，这该怎么办呢？无奈之中，我只得用一把从大船上找到的腰刀来收割。好在第一次的收成不多，所以收割起来也没遇到多大困难。而且，我收割的方法也非常独特：只割下麦穗或稻穗，把茎干留下来。我把穗子装进自制的大筐子里，然后搬运回家，再用双手把谷粒搓下来。收获完毕，我发现原来的半斗种子差不多打了两斗稻谷和两斗半多的大麦。当然，这只是我的估计罢了，因为当时我根本没有量具。

这次收获对我而言是一个极大的鼓励。我预见到，早晚有一天，上帝会赐给我面包。可是，现在我又为难了，因为我不知道怎样把谷粒磨成粉，也根本不知道怎样脱谷，怎样筛去秕糠；即使能把谷粒磨成粉，我也不知道怎样把粉做成面包；即使做成了面包，我也不知怎样烤面包。另外，我想多囤积一点粮食，以保证日常的供应。为此，我决定不吃这次收获的谷物，而是把它们全部留做种子，待下一季再播种。

据我初步估计，这些种子可以播种约一英亩，所以，我必须多准备一点土地。为此，我至少花了一个星期的时间做成了一把铲子。下一个播种季节来临时，我已经平出了两大片地，把种子播了下去。

现在，我最需要的是一些可以用来盛液体和存放干燥东西的器具，但是我不知该怎样把它们做出来。岛上的气候炎热，只要我能找到陶土，就能做一些钵子或罐

子，然后把它们放到太阳底下晒干。炎热的太阳一定能
把陶土晒得既坚硬又结实，并能经久耐用，可以用来装
一些需要保存的干东西。于是，我跑到山崖边找了很多
有黏性的泥巴，想用它们制成瓶瓶罐罐，用来装东西。

　　这事想起来简单，做起来就难了。我已经记不清用
了多少种笨拙的方法去调和陶土，也不知做出了多少奇
形怪状的丑家伙：有的因为陶土太软，吃不住本身的重
量，不是凹进去，就是凸出来，根本不适用；有的因为
太阳热力过猛而晒裂了；有的晒干后一搬就碎了。差不
多花了两个月的时间，我才做成了两只大瓦罐，而且它
们的样子丑陋得简直无法称为罐子。

　　最后，太阳终于把这两只大瓦罐晒得非常干燥和坚
硬了。我就把它们轻轻搬起来，放进两只预先特制的大
柳条筐里，以防它们破裂。同时，我又在罐子和筐子之
间的空隙处塞上了稻草和麦秆。这样，这两个大罐子就
不会受潮了。以后，我就可以用它们来装粮食和用粮食
磨出来的面粉。

面包

　　面包就是以黑麦、小麦等粮
食作物为基本原料，先磨成粉，再
加水、盐、酵母等和面并制成面团
坯料，然后再以烘、烤、蒸或煎等
方式加热制成的食品。

我笨拙地调和陶土，做出了
一个个丑陋的瓶瓶罐罐。

釉

　　釉是以石英、长石、硼砂、黏土等为原料，磨成粉末，加水调制而成的物质，用来涂在陶瓷半成品的表面，烧制后陶器会发出玻璃的光泽，并能增加陶瓷的机械强度和绝缘性能。

　　虽然我的大罐子做得不成功，但那些我随手做出来的小器皿还像点样，那些小圆罐、盘子、水罐和小瓦锅等都还不错。由于阳光强烈，这些东西都晒得特别坚硬。

　　但是，我的最终目的还没有达到，因为这些容器只能用来装东西，而不能用来装流质放在火上烧，而这才是我的真正目的。一段时间过后，我偶然生起一大堆火烤东西。烤完后，我去灭火时忽然发现火堆里有一块陶器的碎片，被火烧得像石头一样硬。这一发现使我惊喜万分，既然陶器碎片能烧好，那么整个陶器当然也能烧好了。

　　当然，我不知道怎样搭一个像陶器工人烧陶器用的那种窑，所以我只是把三只大泥锅和两三只泥罐一个个堆起来，在它们周围架上木柴，在泥锅和泥罐下生上一大堆炭火，然后将它们周围的木柴点燃，小心地烧制，直到里面的罐子红透。后来，我发现其中一只虽然没有破裂，但已开始熔化了。原来，它里面的沙土成分被火烧熔了，假如再烧下去，它们就要变成玻璃了。于是，我慢慢减去火力，等那些罐子的红色逐渐退去。

　　我整夜守着火堆，不让火退得太快。到了第二天早晨，我便烧成了三只很好的瓦锅和两只瓦罐。虽然它们谈不上美观，但很坚硬，其中一只由于沙土被烧熔了，还有一层很好的釉。

　　现在，我不缺陶器用了。说实话，这些东西确实很不美观，但是照样可以用。大家可以想象，我制造这些东西时，只能像小孩子做泥饼或像不会和面粉的女人做馅饼

经过烧制后的泥罐更加坚固耐用。

那样笨拙地去做。

当我发现自己已经制成了一只能耐火的锅时，我的快乐真是无可比拟。我等不及锅完全冷透，就急不可耐地把其中一只放到火上，倒进水，煮起肉来，结果效果极佳。我用一块小山羊肉煮了一锅可口的肉汤。当然，我没有燕麦粉和别的配料，否则我还可以做出非常理想的汤来。

下一个问题是我需要一个石臼春粮食。但是在众多行当中，我最不懂的就是石匠手艺了，更何况我没有合适的工具。我只能自己在实践中琢磨了。我费了好几天的功夫，想找一块大石头，把中间挖空后做个石臼。可是岛上尽是大块岩石，根本无法挖凿，而且石质也不够硬，经不住重锤去春，所以即使能捣碎谷物，也必然会从石臼中春出许多沙子来；最后和在面粉里。因此，当我花了很长时间仍找不到适当的石料时，就放弃了这个念头，决定找一大块硬木头来打造一个可以把麦子磨成

瓦锅烧制好之后，我迫不及待地用它煮了一锅羊肉汤。

臼：春米的器具，多用石头或木头制成，中间凹下。石臼就是用石头制成的春米的器具。

我把木头削成圆形，挖出一个凹槽。

发酵：复杂的有机化合物在微生物的作用下分解成比较简单的物质。发面、酿酒等都是发酵的应用。

面粉的工具。

这要比做石臼容易得多。我弄了一块很大的木头，接着用斧头把木头砍成想要的形状，再用火在木头上面烧了一个槽。火力加上我无限的劳力，最终把木臼做成了。此外，我又用铁树的树干做了一个又大又重的杵。舂谷的工具做好后，我就把它们小心地收起来，准备下次收获后用来舂谷做面粉，再用面粉做面包。

接下来，我需要做一个筛子筛面粉，以便把面粉和秕糠分开。我没有任何材料可以用来做筛子，因此不得不停工好几个月。后来有一天，我忽然想到，从船上搬下来的那些水手衣服里有几块棉布和薄纱围巾，也许它们能有些用处。于是，我拿出几块棉布来，做成了三个小筛子，虽然它们没法与真正的筛子相比，但是也能凑合着用了。

舂米、筛面的工具都有了，接下来就要考虑怎样制作面包。首先，一般做面包需要发酵，但我没有发酵粉，这可是我绝对没有办法做出来的。至于炉子的问题比较麻烦，但最后，我还是想出了一个试验的办法。

我先做成了一些直径约两英尺、深约九英寸的大瓦盆，放在一旁备用。制面包时，我先用方砖砌成一个炉子。接着，我在炉子里生起火。当木柴烧成炭时，我就把它们取出来，放在炉子上面，并把炉子盖满，充分利用炉火的热量。我再把所有的火种通通扫尽，把和好的面团放进去，再用做好的大瓦盆把炉子扣住，瓦盆上再盖满火种。这样做不但能保持炉子的热度，还能增加热度。用这种方法，我制出了非常好的大麦面包，这种面包绝不亚于世界上最好的炉子制出来的面包。不久，我就成了一个技术高明的面包师傅。另外，我还用大米制成了一些糕点和布丁。不过，我没有做过馅饼，因为除了飞禽和山羊肉外，我没有别的佐料可以放进去。

毫不奇怪，这些事情占去了我在岛上第三年的大部分时间。一方面，我要为制面包做许多事情；另一方面，我还要料理农务，收割庄稼。我按时收获，把谷物都运回家。我把穗子放在大筐子里，有空时就用双手搓出来。因为我既没有打谷场，也没有打谷的工具。

现在，我的粮食贮量大大增加了，已有了二十浦式耳大麦和二十多浦式耳大米，我可以放心吃用了。经估算，这些粮食足够我吃一年多。因此，我决定以后每年只播种一季，每年播种同样数量的种子，这样粮食就足够供应我做面包和其他用途。

由于我来到这个岛上已经太久了，那些从破船里带上来的东西不是丢了，就是用光了。我的衣服也早已破烂不堪，内衣早就没有了，只剩下从水手们的箱子里找到的几件花格子衬衫，那是我舍不得穿而小心地保存下来的。

虽然这里天气炎热，用不着穿衣服，但我总不能赤身裸体，而且阳光太烈了，裸着身子会把皮肤晒伤。于是，我用兽皮制作了一顶大帽子，接着又做了一件背心、几条短裤。它们都宽大得不成样子，不过也能凑合着穿。

骨针

生活于约 18000 年前的山顶洞人就会用骨针做衣服。

我用兽皮给自己缝制了一顶帽子。

6

环游荒岛

我站在海岸边，眺望小岛周围的环境。

在小岛的另一面有一块空地，我决定到那里去巡视一番。

我找了一个天气晴朗的日子，带上枪、斧头、狗和不少火药子弹，以及两大块干粮和一大包葡萄干就从家里出发，沿着海岸向西走去。不久，我来到了小岛另一侧的海岸。从这儿看去，大海对面的陆地清晰可见。我不知道那是海岛，还是大陆，只见地势很高，从西向西南延伸，距我所在的小岛很远，估计约有四十五至六十海里。我可以肯定那一定是美洲，但不知道那里究竟是美洲的哪一部分。依我的观测，那里应该接近西班牙领土的边界。我想，如果当初我在那块陆地上上岸，情况也许会比现在更糟，因为那儿有可能已经被野人占据了。

来到小岛的这一侧海岸之后，我发现这儿的风景更加宜人。这里草原开阔，绿草如茵，遍地的野花散发出阵阵芳香，而且到处都是茂密的树林。我看到许多鹦鹉，很想捉一只驯养起来，教它说话。经过一番努力，我终于捉到了一只小鹦鹉。

我对这次旅行感到十分满意。在地势较低的一片地方，我还发现了不少像野兔和狐狸似的动物。这两种动物我以前都未见到过。我没有去打，因为我不缺少食物，更何况我的食物也十分可口。

我承认这边比我住的地方好得多，但我无意搬家，

鹦鹉

鹦鹉是一类色彩艳丽的鸟，全世界共有340多种。鹦鹉因为善于模仿人的和其他动物的声音而深受人们的喜爱。

因为我在那边已住惯了。我沿着海边向东走，估计大约走了十二英里后，我在岸上竖了一根大柱子作为记号，便决定暂时回家。我准备下次从家里出发旅行时向相反方向走，沿海岸往东兜上一个圈子，再走到这根木柱为止，这样就等于绕岛一周了。

回家时，我决定改走另一条路，以便欣赏到不同的景色。但是走了大约两三英里之后，我发现自己进入了一个极大的山谷。山谷被小山环绕着，除了可以通过太阳分辨一下方向外，我根本没法弄清回家的路。

更糟的是，就在我迷路时突然起了一阵大雾，浓得把太阳都遮住了。我心慌意乱地在山谷里乱走，找不到出路。最后，我不得不循着原路折回到海边，找到了我竖起的那根柱子，然后再沿着来时的路老老实实地往回走。一路上我走走歇歇，因为天气燥热难耐，而我身上

雾

雾是气温下降时，在接近地面的空气中，水蒸气凝结成的悬浮的微小水滴。在有雾的天气里，能见度会大大降低。

我在山谷中迷失了方向，一路跌跌撞撞，仍是找不到出路。

凿子

凿子是一种手工工具，长条形，前端有刃，使用时用重物砸后端。凿子可用来挖槽、打孔或加工石料。

经过我的调教，可爱的鹦鹉终于学会了叫我的名字。

带的枪支弹药以及其他东西又非常沉重。

回家的路上，我的狗袭击了一只小山羊，我连忙跑过去夺过小羊，把它从狗嘴里救了下来。我以前经常想到，要是能驯养几只山羊，让其繁殖，那么到我弹尽粮绝时就可以杀羊充饥了。因此，我决定把这只小山羊牵回家去饲养。我给小羊做了个项圈，又用我一直带在身边的麻纱做了根细绳子，颇费了一翻周折才把羊牵回我的乡间住宅。我把小羊圈了起来就离开了。

历尽千辛万苦，我终于回到了家中，这时的我才感到自己的"小窝"是多么安全和舒服。之后的一个星期我都待在家里休息，以缓解长途旅行的疲劳。在这期间，我做了一件大事，就是给抓到的那只小鹦鹉做了一个笼子。

过了一段时间，这只小鹦鹉已完全驯顺了，并且与我亲热起来。我还给它起了个名字叫"波尔"。波尔聪明伶俐，不久就学会了呼唤我的名字，这让我欣喜不已。这只可爱的小家伙就此成了我的家庭成员，从此再也没有离开过我。

这件大事完成后，我想起了那只可怜的小山羊。于是我到了乡间住宅那边，见那小羊还在原来的圈里。因为没有东西吃，它差不多快饿死了。我就到外面弄了点嫩枝嫩叶喂它。等它吃饱之后，我仍像原来那样用绳子牵着它走。然而，小羊因饥饿而变得十分驯服，我把它带到海滩边的家里，和以前抓获的那只小羊饲养在一起。

后来，我的心情日益平静，

开始渐渐习惯了这种独居的生活。每当寂寞袭来时，我就走到海边去听听涛声，或是同我的鹦鹉波尔交谈。虽然这只是一种简单的消遣，但我还是从中获得了很多快乐。

我做了一只可乘20多人的独木舟，却无法让它下水。

不过，每当工作结束后休息时，我还是常常会想到我在岛上另一边所看到的陆地。我心里暗暗怀着一种希望，希望能在那里上岸，并幻想自己在到达有人烟的地方之后，就能设法回到阔别已久的文明世界。

为了实现这个愿望，我打算做一只独木舟。

我砍倒了一棵大柏树。这棵柏树靠近树根的直径达五英尺十英寸，在二十二英尺处直径也有四英尺十一英寸，然后才渐渐细下去。之后，我费尽辛苦，用二十二天的时间砍断根部，又花了十四天的时间使用大斧和小斧砍掉树枝和向四周张开的巨大的树顶。这种劳动之艰辛真是一言难尽。然后，我又花了一个多月的时间对着树干又砍又削，最后刮出了船底的形状，使其下水后能浮在水上。这时，树干已砍削得初具船的形状了。我又花了将近三个月的时间把中间挖空，使之完全像只小船。在挖空树干时，我不用火烧，而是用槌子和凿子一点一点地凿空。最后，这根树干确实成了一只像模像样的独木舟。

这真是我有生以来见过的最大的独木舟！我可以把我所有的东西都装进去，光载人的话，完全可容纳二十六七个人。不过令人头痛的时，尽管我费尽力气，可就

直径：通过圆心并且两端都在圆周上的线段叫做圆的直径；通过球心并且两端都在球面上的线段叫做球的直径。

我坐在自己的劳动成果上，郁闷而沮丧。

运河：一种人造的水道。大多数运河用于行船载客或运货，有些则用于引水灌溉或排除沼泽湿地的水，还有一些运河则将海洋连接起来。

是无法使船移动一步！

人们也许会想到，我在做这只船时，不可能一点也没想到我所处的环境，我应该会想想怎么让船下海的问题。可是，我当时一心一意只想乘船去航行，却忘了考虑怎样使船离开陆地的问题，结果现在就遇到了麻烦。

船离海岸大约只有一百米，决不会再多。但第一个难题是，从船所在的位置到海边，正好是一个向上的斜坡。为此，我费了好大的力气在地面上挖了一个向下的斜坡。不料完成了这项工程，克服了这一障碍后，我还是一筹莫展，因为我根本无力移动这只独木舟一步。

既然我无法使独木舟下水，就只得另想办法。我把现场的距离丈量了一下，决定开个船坞或开条运河，把水引到船底下来。这次一开始，我就进行了一些估算：看看运河要挖多深多宽，怎样把挖出来的土运走。结果发现，如果我要独自一人完成这项工程，至少要用十年甚至二十年的时间。最后，我不得不放弃了这个计划。

这件事使我非常沮丧，同时也让我明白了，做任何事，若不预先计算一下所需的代价，不正确估计一下自己的力量，都是十分愚蠢的。

乘船出海的愿望没能实现，但是生活还是要继续。到了第五年，我基本上没有任何匮乏了。因为我在这个岛上所拥有的一切，已经足够我享用了。我是这块领土的主人，假如我愿意，我可以在这片国土上封王称帝。我没有敌人，也没有竞争者来与我争权夺势。我可以生产出整船的粮食，可是我只需要足够维持我生命的那些；我有很多的龟鳖，但我只要偶尔吃一两只就足够了；我有充足的木材，可以用来建造一支船队；我有足够的葡萄，可以用来酿酒或制葡萄干，等到船队建成后，可以把每只船都装满，可是没有人同我一起分享。

事理和经验使我懂得，世间万物，只有有用处，才是最宝贵的。我们能够享用的，至多不过是我们能够使用的部分，多了也没有用。我想即使是世界上最贪婪、最一毛不拔的守财奴，处在我现在的处境，也会把贪得无厌的毛病治好。

总之，与当初上岛时相比，我的生活状况已经有了很大的改善。为此，每当我坐下来吃饭时总会感激万能的上帝，他竟然在旷野中为我摆设筵席。我也学会了多看自己生活中的光明面，少看黑暗面，多想自己所得到的享受，少想自己所缺乏的东西。这种态度使我的内心时时得到安慰，而不再感到悲伤了。

此后五年，我的生活环境和方式基本上没有什么变化，也没有任何特别的事情发生。我的主要

船坞

船坞是指停泊、修理或制造船只的地方，一般设在沿海地区或大江大河的河口地带。船的一部分零件在船坞制造，另一部分则在其他工厂制造，然后在船坞进行组装。

我对岛上的生活已经慢慢适应了，并且感到很满足。

海岛

海岛是四面环水并高于水面的自然形成的海中陆地。鲁宾逊所处的海岛四面环海，所以如果他从一个地点出发，绕着海岸线环岛一周后还可以回到这个地方。

我没有因为曾经的失败而气馁，又动手造了一只独木舟，不过这只独木舟比上次造的要小得多。

工作就是每年按时种大麦和稻子、晒葡萄干，并把这些东西贮藏起来，供我一年吃用，此外，就是天天带枪外出打猎。

在此期间，除了日常工作外，我做的唯一的一件大事就是我又造了一只独木舟。

虽然造成这只独木舟花了我将近两年的时间，我却从未偷懒或感到厌烦。我一直希望，有一天能乘着它到海上去。为了把独木舟引入半英里外的小河里，我又挖了一条六英尺宽、四英尺深的运河。

我造的第一只独木舟是相当大的，因为我想用它渡到小岛对面的那块大陆上去，因为两者之间的距离约有四十海里。可是，相比之下，现在新造的这只船就太小了，我只好打消原定的计划，不再考虑到对面大陆的事，只是决定坐上小船绕岛航行一圈。前面我曾提到，我曾经在陆上徒步横越小岛，抵达了岛的另一头。在那次旅行中，我有不少新的发现，所以从那以后我一直想

看看小岛沿岸的其他地区。

为了实现环岛航行的目的，我在小船上安装了一根小小的桅杆，并用贮藏已久的帆布做了个帆，还在船的两头都做了小抽屉，把粮食、日用品和弹药之类的东西放在里面，免得给雨水或浪花打湿。另外，我又在船舷内挖了一条长长的槽，用来放枪，还做了块

垂板可盖住长槽，以防枪支受潮。最后，我还把自己用羊皮做的一把伞放在船尾的平台上。伞竖在那里，也像一根桅杆，伞顶像凉篷一样张开，正好罩在我头上，挡住了阳光。

我爬到小山顶上，观察海面的情况。

但是，虽然我常常乘坐独木舟到海面上游荡，但从来不敢走远。后来有一天，我终于下了决心，往船上装了两打大麦面包、一满罐炒米、一小瓶甘蔗酒、半只山羊肉和一些火药和子弹后，就开始了渴望已久的环游小岛的旅程。

岛虽然不大，但当我航行到东头时，却被一大堆礁石挡住了航道。这些礁石有的露出水面，有的藏在水下，向海里延伸了差不多有六海里远。

海流

海洋中朝着一定方向流动的水叫做海流。当航行的船只遇上海流时就可能会被海流冲得偏离航线。

一开始发现这些礁石时，我几乎想放弃这次航行，调转船头往回走，因为我不知道要向外海走多远才能绕过它们，而且我更怀疑自己能不能回到岛上。于是，我就下了锚，把船停稳当后带枪走上岸，爬上一座可以俯视岬角的小山，放眼向海上望去。

从小山上，我看见一股来势凶猛的急流向东流去，一直流到那岬角附近。我感到这股急流中可能隐藏着危险，因为如果我把船开进这股急流，船就会被它冲到外

海去，可能再也回不到岛上了。岛的那边也有一股同样的急流，不过离海岸较远，而且在海岸底下还有一股猛烈的回流，所以即使我能躲过第一股急流，也会被卷入回流中。

我在这儿把船停了两天，因为那两天一直刮东南风，风向正好与我上面提到的那股急流的方向相反，使岬角附近的海面波涛汹涌。

在这种情况下，如果我靠近海岸航行，就会碰到大浪，如果我远离海岸航行，又会碰到急流，所以怎么走都不安全。

我被两股急流夹在了中间，
稍有不慎就会葬身大海。

第三天早晨，海上风平浪静。于是，我又冒险前进。可是船刚靠近那个岬角，就碰上了一股急流。这股急流来势凶猛，把我的船一直向前冲去。我费了很大劲，想让船沿着这股急流的边沿前进，可是毫无用处。

我只得拼命划桨，但还是无济于事。我感到自己就要完蛋了。因为我知道，这座岛的两头各有一股急流，它们必然会在几海里以外汇合，到那时，我是必死无疑了，而且我也想不出能有什么办法可以逃过这场灭顶之灾。虽然我曾在岸上抓到一只大海龟，可以作为食物，此外还有一大罐子淡水。但是，如果我被冲进汪洋大海，周围没有海岸，没有大陆，也没有小岛，我这么一点点食物和淡水又有什么用呢？

现在我才明白，只要上帝愿意，它可以把人类自认为最不幸的境遇变得更加不幸。可是，一般人不亲自经历更恶劣的环境，就永远看不到自己原来所处环境的优

风

在地球上，各个地方的空气温度有高有低，所以气压也不一样。风是空气从气压高的地方流向气压低的地方形成的。

越性；不落到山穷水尽的地步，就不懂得珍惜自己原来享有的一切。现在我才感觉到，我那荒凉的孤岛是多么的可爱，而我现在最大的幸福就是重新回到我那荒岛上。当我感觉自己没有重返小岛的希望时，内心的惶恐简直难以形容。

我尽量把船朝北面划去，也就是向那股急流和回流交汇的海面划去。到了正午，我忽然感到脸上有了一点微风，原来风向变了，正在对着海岛的方向吹。尤其令人振奋的是，过了半小时，风稍稍大起来。这时我离岛已经很远了，要是这时有一点阴云或薄雾，那我也必死无疑，因为我没有带罗盘，如果我看不到海岛，我就会迷失方向，无法回去。幸好天气始终晴朗，我立即竖起桅杆，张帆向北驶去，尽量躲开那股急流。

罗盘：一种测量方向的仪器，由有方位刻度的圆盘和装在中间的指南针构成。飞机、船舶上使用的罗盘还配有提高精度的复杂装置，叫做罗经。

在航行中，我发现四周水色较清，便知道那股急流在这儿已成了强弩之末了。因为，水急水则浊，水缓水则清。不久，我又发现，在半海里以外，海水打在一些礁石上，浪花四溅。那些礁石把这股急流分成两股，其中一股继续流向南方，另一股被礁石挡回，形成一股强烈的回流，向西北流回来，水流湍急。

假如有谁有过像我这样死里逃生的经历，就不难体会到我当时那种喜出望外的心情。那时正当风顺水急，我张帆乘风破浪向前，那欢快的心情是不难想象的。

正在我束手无策时，风向变了，我赶紧张帆向小岛方向驶去。

这股回流一直把我往海岛的方向冲了约三海里，但与先前把我冲向海外的那股急流相距六海里多，方向偏北。因此当我靠近海岛时，发现自己正驶向岛的北岸，而我这次航行

岬角：突入海中的尖形陆地，一般由岩浆岩类的花岗岩或钙质岩类的块状石灰岩组成。它们耐侵蚀，经得起海水的长期冲刷。

出发的地方是岛的南岸。我正好处于两股急流之间——一股在南面，也就是把我冲走的那股急流，一股在北面，两股急流之间相距约三海里。这儿波平浪静，还有一股顺风。我就向海岛驶去，但船行驶得很慢。

大约下午四点钟时，在离海岛不到三海里的地方，我看到了那个伸向南方的岬角。在这儿，急流向南方冲去，同时又分出一股回流向北方流去。这股回流流得很急，一直向正北冲去。

这不是我原定的航行方向，我的航线是要往西走。由于风还大，我就乘船斜穿过这股回流，向西北插过去。一小时之后，我离岛就只有一海里了。我知道按原路回去是十分危险的，而对海岛的另一边，也就是西边的情况，我又一无所知，所以打算先上岸再说。我驾船沿岸行驶了约三海里，找到了一个小湾，把小船停放妥当后，便上了岸。

我划着独木舟平安地回到了岛上。

我很快就发现，这儿离我上次徒步
旅行所到过的地方不远。所以，我
只从船上拿出了枪和伞就出
发去我在乡间的别墅。傍晚
时分，我来到了自己的乡间
别墅。我爬过围墙，就躺在树
荫下想歇歇脚，结果却昏昏
沉沉地睡着了。不料，忽然有
一个声音叫着我的名字，把
我从睡梦中惊醒："鲁宾逊！鲁宾
逊·克鲁索！可怜的鲁宾逊·克鲁索！你
在哪儿，鲁宾逊·克鲁索？你在哪儿？你去哪儿啦？"

我伸出手来，"波尔"立即飞到了我的手上。

　　这时，我还没有完全清醒过来，但那声音不断地叫
着"鲁宾逊·克鲁索！鲁宾逊·克鲁索"，最终使我完
全清醒过来。我毛骨悚然，一骨碌从地上爬起，睁眼一
看，原来是我的那只鹦鹉不知怎么从笼中逃了出来，正
停在篱笆上面和我说话呢！这些令人伤感的话，正是我
曾经教它说的，现在它已经学得惟妙惟肖了。

　　我明明知道刚才跟我说话的是我的鹦鹉，可还是过
了好一会儿才定下心神。我伸出手来，向它叫了一声
"波尔"，这只会说话的小鸟便像往常一样，飞到我的手
上，接连不断地对我叫着"可怜的鲁宾逊·克鲁索"，并
问我："到哪儿去啦？"它仿佛很高兴又见到我似的，于
是我带着它，徒步回海滩的老家了。

　　我很想把小船弄回海岛的北边，也就是我在沙滩的
住所那一边，但想不出切实可行的办法。至于岛的东
边，我已经去过那儿，知道不能再去冒险了，而对岛的
西边我又一无所知。想到这些，我便决心暂时不用那小
船了，尽管我花了好几个月的辛勤劳动才把它做成，又
花了好几个月的工夫引它下水进入海里。

海湾
　　海湾指海洋或湖泊移动而形
成的海岸凹入处，多位于易受侵
蚀的地区，但其周围则为坚硬而
抗蚀力强的岩层。

7
沙滩上的脚印

我穿着一身怪异的衣服去探险，想不到却在海滩上发现了一个脚印。

差不多有一年的工夫，我过着一种恬静悠闲的生活。可是我这人生性不安于现状，总是想到海岛的那一边走一趟，看看有没有办法把小船弄过来。这念头在心里变得越来越强烈，于是我出发了。

一路上，我常常停下来打量自己，看着自己怪异的行装，我禁不住笑了起来。如果在英国有人碰到我这样穿着的人，一定会吓一大跳。

我头上戴着一顶山羊皮做的便帽，这帽子做得又高又大，一来是为了遮太阳，二来是为了挡雨，免得雨水流进脖子。在热带，被雨淋湿是最伤身体的。我上身穿了一件山羊皮做的短外套，衣襟垂到了大腿上；下身穿了一条齐膝短裤，也是用一只老公羊的皮做成的，两旁的羊毛一直垂到小腿上，看上去像条长裤。我没有鞋子，也没有袜子，但做了一双短靴似的东西，靴长刚及小腿，两边用绳子系起来，好像绑腿一样，极其难看。我腰间束了一条宽阔的皮带，那是用晒干了的小羊皮做的，皮带没有搭扣，只用两根山羊皮条系着，带子两边有两个搭环，挂了一把小锯和一把斧头。我背上背着筐子，肩上扛着枪，头上撑着一顶用羊皮做的大阳伞，样子又难看又笨拙。

而且，我的面色即不像白人又不像黑人，下巴上的胡子从来没有修剪过，所以特别长，不过唇上面的胡子

热带

热带指位于南北纬23°26′之间的地区，面积占全球总面积的39.8%。这一地带终年能得到强烈的阳光照射，所以植物生长很茂盛。

却修理得很整齐。有一次，我站在清澈的水边看自己时，曾被自己可怕的样子吓了一大跳！

幸好，根本没有人会看到我的这副模样。我心情愉快地沿着海岸走去，一直来到从前停泊小舟的地方。

忽然，我在海边发现一个人类的脚印：一个赤脚的脚印清清楚楚地印在沙滩上！

这简直把我吓坏了。我呆呆地站在那里，犹如挨了一个晴天霹雳。随后，我跑到高处向四周张望，又走下来在岸上仔细检查，但除了那个脚印外，我什么都没有发现。我又跑到脚印前，看看还有没有其他的脚印，确定它是不是我自己的幻觉。可是，脚印就是脚印，而且就这么一个，有脚趾头和脚后跟，是一个完整的脚印。

可这里怎么会有人类的脚印呢？我无法知道，也无从猜测，顿时心烦意乱。我就像一个精神失常的人那样，头脑里尽是胡思乱想，后来就拔腿往自己的防御工事跑去。可是，我心里又害怕至极，一步三回头，看看后面有没有人追上来。我的头脑里浮现出各种各样的幻景、荒诞不经的想法以及无数离奇古怪的妄想，简

伞

伞是挡雨或遮太阳的用具，中间有柄，可以张合，一般用油纸、布、塑料等制成。鲁宾逊在孤岛上只能用羊皮做伞。

我仔细地确认了一下，那确实是人的脚印，这使我更加害怕。

城堡

城堡原指中世纪欧洲要塞，多系国王或贵族领主领土内的住所，有时也指史前土木工事，如英国的梅登堡。在小说中鲁宾逊用城堡形容他的住处。

直一言难尽。

我一跑到自己的城堡——以后我就这样称呼我在海边的住宅了——马上钻了进去，好像后面真的有人在追赶我似的。

这天晚上，我一夜都没合眼。时间越长，我的疑惧反而越大。有时候，我幻想着，这一切一定是魔鬼在作祟。但是，再一想，如果说魔鬼在那儿显出人形，仅仅是为了留下一个人的脚印，那又未免毫无意义，何况我住在岛的另一头，魔鬼的头脑绝不会如此简单，把一个记号留在我几乎看不到的地方。

于是，我马上又得出一个结论：那一定是某种更危险的生物，也就是说，一定是海岛对岸大陆上的那些野人来跟我作对。他们划着独木舟在海上闲逛，可能卷入了急流，或碰上了逆风，偶尔被冲到或刮到了海岛。上岸后，他们又不愿留在这孤岛上，所以又回去了。看来，到目前为止，他们仍认为这座孤岛是不宜久居的地方。当上述种种想法在我头脑里萦回时，我起初还庆幸自己当时没有在那边，也没有给他们发现我的小船。后来我又想，说不定他们已经发现了我的小船，并且也已发现这个岛上有人，如果这样我就太危险了。

这时，我心中也产生了关于人生的种种离奇古怪的想法。后来我认识到，我当前的境遇，正是大智大仁的上帝为我安排的。我既然无法预知命运，就该服从上帝的绝对权威。因为，我既然是上帝创造的，那么他就拥有绝对的权力按照他

心怀恐惧的我躺在床上辗转反侧，彻夜失眠。

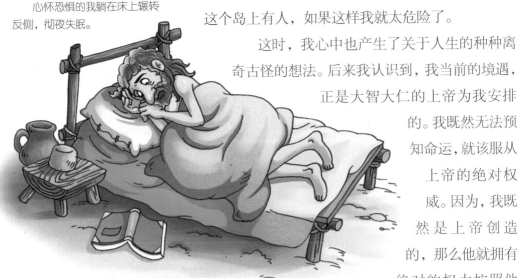

的旨意支配我的命运。

就这样，我一会儿疑神疑鬼，一会儿胡猜乱想，一会儿又反省冥思。这时，我深深后悔把山洞挖得太大了，并且还在围墙和岩石衔接处开了一个门。经过一番深思熟虑后，我决定在围墙外边，也就是我十二年前种两行树的地方，再筑起一道半圆形的防御工事。那些树原来就种得非常密，所以现在只须在树干之间再打一些木桩，就可以使树干之间的距离变得十分紧密。接下来的几天，我很快就把这道围墙打好了。之后，我又用了不少木料、旧缆索及其他我能想到的东西进一步加固这道围墙，并在墙上开了七个小洞，在每个洞里放了一只短枪，用架子支撑好。这样，在两分钟之内我可以连开七枪。我辛勤工作了好几个月，才完成了这道墙。

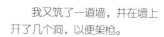

我又筑了一道墙，并在墙上开了几个洞，以便架枪。

这项工程完成后，我又在墙外空地周围密密地插了一些杨柳树树桩或树枝，因为杨柳树特别容易生长。在杨柳树林与围墙之间，我特地留出一片很宽的空地。这样，如果有敌人来袭击，我就很容易发现，因为他们无法在外墙和小树间掩蔽自己。另外，为了保护自己的财产，我还在浓密的树林深处找了一片空地，把羊群安全地圈养在里面了。

做完这些事情之后，我才觉得自己安全了一些。在这种情况下，我又度过了两年。

我把一部分家畜安置妥当后，便想再找一片深幽的地方，建一个同样的小圈地养羊。我一直往岛的西部走，到了一片我以前从未涉足的小山岗上，从这儿我可

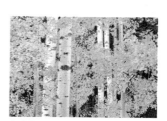

杨树

杨树是一种落叶乔木，共有100多种。杨树也是速生树种之一，一般每年可长高3～4米，直径可以生长3厘米以上。

我来到岛的西南角时，发现海岸边有可怕的人骨，而且还有柴火燃烧的痕迹。

海峡：两块陆地之间狭长的海域。海峡是由于构造断裂使两块陆地分开，或海水长期冲蚀使两块陆地分开而形成的。

以看到大海。忽然，我看到极远处仿佛有一只船。我曾从破船上一个水手的箱子里找到了一副望远镜，可惜没有带在身边。

我一直凝望着远处，直到看得我眼睛都痛得看不下去了。我下定决心，从此以后，出门时衣袋里一定要带一副望远镜。当我从山上下来时，那船影似的东西已完全消失了。

当我走到岛的西南角时，顿时吓得目瞪口呆。只见海岸上满地都是人的头骨、手骨、脚骨，以及人体其他部位的骨头。我还发现有一个地方曾经生过火，地上挖了一个斗鸡坑似的圆圈，那些野蛮人大概就围坐在那里，举行残忍的宴会，蚕食自己同类。

见到这一情景，我简直惊愕万分。想到人性竟然堕落到如此地步，我都忘记了自己的恐惧。虽然以前我也听说过人吃人的事，可今天是第一次亲眼看到吃人后留下的现场。我感到胃里的东西直往上涌，最后恶心得大吐起来。

现在我终于知道，在岛上发现人的脚印，并不像我原来所想象的那样稀奇。我只是很幸运地漂流到了岛上野人从未涉足的一头罢了。否则，我早就会发现，来自临近我的小岛的那块大陆上的独木舟，有时在海上走得太远了，偶尔会渡过海峡到岛的这一边来找港口停泊。而且，他们的独木舟在海上相遇时，经常要打仗，胜利的一方就把抓到的俘虏带到岛的这边来，按照他们部落的习惯，把俘虏杀死吃掉。

我一分钟也不忍心再待下去了，马上拔腿向住处跑去。比以往任何时候都感到自己的住所安全可靠，因而心里也宽慰多了。

时间一久，我的担心逐渐消失了。因为我想到，那些残忍的野人到这儿来根本不是为了寻求什么，我在岛上已快十八年了，只要我像以前一样很好地隐蔽起来，我完全可以再住上十八年。更何况我确信自己没有被他们发现的危险。所以，我又像以前那样泰然自若地生活。所不同的是，我比以前更小心了。特别是，我使用枪时更小心谨慎，以免给上岛的野人听到枪声。幸好我早就驯养了一群山羊，所以现在就不去树林里打猎了。此后两年中，虽然我每次出门时总带着枪，但没有再开过一次。

我也不敢在我的住所附近生火了，生怕被人看见烟雾，从而发现我的踪影。于是，我就按照我在英国见到

望远镜

望远镜是将遥远物体形成放大影像的仪器。简单的望远镜有物镜和目镜各一个，物镜收集光线并形成一个像，目镜把此像放大，以便观察。

看到这幅可怕的景象，我不禁恶心地呕吐起来。

的办法，拿一些木头放在草皮泥层下烧，把木头烧成木炭，熄火后再把木炭带回家。这样，如果家里需要用火，我就可用木炭来烧，省得有冒烟的危险。

有一天，我正在砍柴时，发现在一片浓密的矮丛林后面有一个山洞。我费力地走进洞口朝里面望去，忽然看见了两只发亮的眼睛。我吓了一大跳，赶紧逃了出来，过了好一会儿，才鼓足勇气，拿起一根点燃的火把重新钻了进去。借着火光一看，原来地上躺着一只大得吓人的公山羊，大概由于太老了，它已经奄奄一息。

这时，我才从惊恐中恢复过来，开始察看周围的情况。我发现洞不太大，周围不过十二英尺，完全是一个天然的洞穴，没有任何人工斧凿的痕迹。我又发现，在洞的尽头还有一个更深的地方，但很低，我只能俯下身子爬进去。由于我当时没有带蜡烛，所以决定第二天再爬进去看看。

第二天，我带了六支自己做的大蜡烛去了新发现的山洞，发现那只老山羊躺在洞口边，已经死去了。我就地挖个大坑把它埋了，免得闻到死羊的臭气。接着，我钻进那低矮的小洞，爬了约十来码后，洞顶豁然开朗。

我环顾周围，发现这洞差不多有十英尺高，洞顶和四壁十分干燥，地上干燥平坦，表面是一层细碎的沙石，所以不会有令人厌恶的毒蛇爬虫。

我决定马上就把我最放心不下的一部分东西搬到洞里来，特别是我的火药和多余的枪支。这样，只要我待在洞里，即使有五百个野人来追我，也不会

木炭:木材在隔绝空气的条件下干馏得到的东西，常保留着木材原来的形状，有很多细孔，但质地很硬。木炭可用作燃料，也可用来过滤液体和气体，还可作黑色火药。

我找到了一个隐蔽的山洞，这儿的环境既干燥又舒适。

找到我，就算他们发现了，也不敢向我进攻。做完这一切后，我觉得安全多了。

正当我对野人的警戒渐渐松懈的时候，他们却又一次出现了……

那天清晨，天刚蒙蒙亮，我就发现海岸那边有一片火光。我赶紧爬上山顶，拿出望远镜向海边看去。只见那儿大约有十来个赤身裸体的野人，围着一个小火堆坐着。

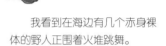

我看到在海边有几个赤身裸体的野人正围着火堆跳舞。

天气这么热，他们生火显然不是为了取暖。我猜想，他们一定是带来了战俘，正在享受着烧烤人肉的大餐。此时正是退潮的时候，他们把两只独木舟拖到了海岸上。涨潮时，他们围成一圈不停地跳舞，然后就划着独木舟离开了。

等到他们上船离开后，我赶紧向他们聚餐的地方跑过去。这真是个可怕的景象！那斑斑的血迹，那散乱的人骨，那一块块血腥的人肉！我几乎要窒息了，内心充满了愤怒，决定去消灭这些野人。然而，他们并不经常到岛上来。在这之后的一年多的时间里，我都没再见过他们的踪影。

到了五月中旬，大约是五月十六日那天，刮了一天的大风，电闪雷鸣，一直到夜里还是雷雨交加。我正在读《圣经》，并且认真地思索着当前的处境，忽然出乎意料地听到一声枪响，好像是从海上发出的。

我一跃而起，转眼之间就把梯子竖到半山上，登上去以后，又把梯子提起来继续架在山上，最后爬上了山

战俘

战俘又叫俘虏，是指在战争中捉住的敌方人员。在原始社会，抓到的战俘往往会被处死，有些野人部落还会把战俘吃掉。

我把干柴点燃，希望船上的
人能够看到。

顶。就在这一刹那，我又看见火光一闪，知道第二枪又要响了，果然不出所料，半分钟之后，我又听到了枪声。枪声正是从我上回坐船被急流冲走的那一带海上传来的。

我立即想到，这一定是有船只遇难了，而且他们肯定还有其他船只结伴航行，因此放枪求救。我这时非常镇定，我想，虽然我无法救助他们，但他们倒有可能帮助我。于是，我把自己收集的干柴通通搬来，在山上堆成一大堆，点起了火。柴很干，火一下子就烧得很旺。他们无疑是看见了。因为我把火烧起来后，马上又听见一声枪响，接着又是好几声，都是从同一个方向传来的。

我把火烧了一整夜，一直烧到天亮。等到海上开始晴朗的时候，我看到，在远处海面上，在小岛正东方向仿佛有什么东西，至于是帆还是船，我怎么看也看不清楚，用望远镜也没有用，因为距离实在太远了，而且，天气还是雾蒙蒙的。

整整一天，我一直眺望着海面上那东西，不久便发现它一直停在原处，一动也不动。于是我断定，那一定是一条下了锚的大船。我急于把事情搞个水落石出，所以，就拿起枪向岛的东边跑去。到了那儿，天已完全晴了。我一眼就看到，有一条大船昨天夜里撞在我前次驾舟出游时发现的那些暗礁上失事了。我猜想他们在看到我的火光以后，就立刻上了小船，尽力往岸上划，可由于当时风浪很大，把他们都卷走了。后来我又猜想，他们的小船说不定早就丢了。一会儿我又猜想，或许跟他们搭伴同行的船听到了枪声，已经把他们救走了。

枪

枪的种类很多，有手枪、步枪、机枪等，都可以作为武器发射枪弹。手枪是在14世纪初或更早时出现的，几乎同时诞生于中国和普鲁士（今德国境内）。

这件事使我体会到更应该感谢上帝,感谢它给了我这么多的照顾,让我在这种凄凉的处境里过得这样幸福,同时也感谢他,在整整两船人中间挽救了我,使我死里逃生。

与此同时,我心里产生了一种求友的强烈渴望,我不禁大声疾呼:"啊!如果有一两个人——哪怕只有一个人能从船上逃出性命也好啊!好让我能够有一个同类可以说说话啊!"这句话我至少重复了上千次。多年来我一直过着孤寂的生活,可从来没有像今天这样强烈地渴望与人交往,也从来没有像今天这样深切地感到没有伴侣的痛苦。

然而这种事情偏偏办不到。因为直到我在岛上的最后一年,我也不清楚那条船上究竟有没有人生还。更令人痛心的是,过了几天,我在靠近失事船只的岛的那一头,亲眼看到一个淹死了的青年人的尸体躺在海滩上。

传讯的工具——火

火一直被当作求救的信号。在古代,边防报警点遇到敌人来犯时就点燃烽火,通知后方部队赶来救援。在小说中,鲁宾逊点燃火堆是为了给遇难的船只岛上有人的信号。

有一条大船撞在暗礁上失事了。

烟斗

烟斗是吸旱烟丝的用具，民间俗称"板烟斗"。烟斗已经有600年以上的历史，16世纪时在欧洲流行，17世纪时各式烟斗风靡欧美。

他身上只穿了件水手背心，一条齐膝麻纱短裤和一件蓝麻纱衬衫，衣袋里除了两块西班牙金币和一个烟斗外，其他什么也没有。从他的穿着，我无法判别他是哪个国家的人。

这时海面上已风平浪静，我很想冒险坐小船到那失事的船上看看。我相信一定能找到一些对我有用的东西。此外，我还抱着一个更为强烈的愿望，那就是希望船上还会有活人。

我匆匆跑回城堡做出航的准备。我拿了不少面包、一大罐淡水、一个驾驶用的罗盘、一桶甘蔗酒——这种酒我还剩下不少，一满筐葡萄干。我把一切必需品都背在身上，就走到我藏小船的地方，先把船里的水淘干，让船浮起来，然后把所有的东西都放进船里。一切准备妥当后，我便出发了。

我见小狗又饥又渴，就给了它一些食物和淡水。

当经过海上的急流时，小船受到急流的推动，忽然飞速向前。我异常紧张，尽全力划着船桨，避免小船被急流冲走，两小时之后，我到达了大船失事的地点。

眼前的景象一片凄凉。从那条船的构造外形来看是一条西班牙船，船身被紧紧地夹在两块礁石之间，船尾和后舱都被海浪击得粉碎，前舱搁在礁石的中间，由于猛烈撞击，上面的前桅和主桅都折断倒在了甲板上，但船首的斜桁仍完好无损，船头也还坚固。我靠近破船时，船上忽然蹿出一条小狗。我一呼唤它，它就跳到海里，游到我的小船边来。我把它拖到船上，只见它又饥又渴，就给了它一块面包。它马上大吃大嚼起来，活像一只在雪地里饿了十天半月的狼。我又给它一些淡水，它就猛喝，如果不是我制止的话，它真可以喝到把肚子都胀破。

我从大船上找到了不少有用的东西。

除了这条狗，船上没有一个活着的生命。船上所有的货物都让海水给浸坏了，只有舱底下几桶酒因海水已退而露在外面，那些酒桶很大，我没法搬动它们。另外，我还看见几只大箱子，可能是水手的私人财物。我搬了两只到我的小船上，也没有来得及检查一下里面装的究竟是什么东西。后来从里面找出一些我急需的衣服，以及现在没有什么用处的钱币。

另外，我还找到了一小桶酒、几支短枪和一只盛火药的大角筒，短枪现在对我已经没有什么用，所以我就留下了，只拿了角筒的火药。我还找到一把火炉铲和一把火钳，这倒是很有用的东西。我把这些货物通通装进我的小船，再带上那只狗，就回家了。这时正值涨潮，潮水开始向岛上流。天黑后不到一小时，我就回到了岸上，但已经疲惫不堪了。

狗

狗是人类最早的家养动物，其近期祖先可能是狼，但至少在一万年以前就已经成为人类的伙伴了。对孤岛上的鲁宾逊来说，狗更是他忠诚的朋友。

8
新伙伴 "星期五"

我躺在吊床上，辗转反侧，难以入眠，不由得想到那些来过小岛的野人。

吊床

吊床是两端挂起来可以睡人的用具，多用网状织物、帆布等临时固定在固定物体上。吊床多用在野外旅行中。

从我来到这座岛到现在，已经是二十四个年头了。

这天深夜，我躺在吊床上，一点儿睡意都没有。回想这二十几年来的生活中的点点滴滴，我辗转反侧，难以入睡。

我想到，来到岛上的最初几年，我怎样过着无忧无虑的快乐生活；后来，在沙滩上发现了人的脚印后，我又怎样焦虑恐惧，过着忧心忡忡的生活。我现在才知道，多少年来，那些野人经常到岛上来，只是在此之前，我不知道这件事而已。那时，我尽管有危险，但因为自己没有意识到，所以也活得快活自在。造物主把人类的认识和知识局限在狭窄的范围内，不让人类看清事实的全部真相，是多么的仁慈啊！

这时，我又想到了那些野人。我想，主宰万物的上帝怎么会容忍自己所创造的生物堕落到这样毫无人性的地步，干出人吃人的事情。我考虑来考虑去，最后还是不得其解。

于是，我又想到另一些问题：这些畜生究竟住在什么地方？他们住的地方离海岸究竟有多远？他们老远从家里跑出来，究竟有什么目的？他们所乘的船又是什么样子的？最后，我忽然冒出一个念头：他们既然可以到我这边来，为什么我不可以设法到他们那边去呢？如果我冒险去寻找野人的住处，没准我会遇到别的船只，又或许我会因此而得救呢！即使再糟糕的事情，也不过一死罢了，而且也许一切不幸也就此结束，我又有什么好迟疑不决的呢？

这个突如其来的念头使我激动不已。由于太兴奋了，我反而不知不觉地沉沉睡去。

朦胧中，我像往常一样从堡垒中出来，忽然看见海面上有两只独木舟载着十一个野人来到岛上；他们另外还带来了一个野人，准备把他杀了吃掉。突然，他们要杀害的那个野人跳起来，拼命向我这边奔跑。我发现只有他一个人，其他野人并没有过来追他，便向他招手微笑，并叫他不要怕。他急忙跪在地下，仿佛求我救救他。于是，我把他带到我住所的洞穴里。我一得到这个人，心里就想，现在，我真的可以冒险上大陆了……正这样想着，我就醒来了。

这个梦境给了我一个启示：我若想改变现在的处境，唯一的办法就是弄到一个野人；而且，如果可能的话，最好是一个被其他野人带来准备杀了吃掉的俘虏。但要实现这个计划也有其困难的一面，那就是进攻一大群野人，并把他们杀得一个不留。这种做法可以说是孤注一掷，难保不出差错；而且，从另一方面来说，这种做法是否合法，也还值得怀疑。

我在内心里进行了激烈的思想斗争，各种理由在我头脑里反复斗争了很久。最后，要使自己获救的迫切愿望终于战胜了一切，我

上帝造人

据《圣经》记载，上帝按照自己的形象用尘土造人，将生气吹入其鼻孔使他成为"有灵的活人"，给他取名亚当，并将他及他的妻子夏娃同置于伊甸园中。

我梦见一大群野人正在追杀一个野人。

奴隶

奴隶指为奴隶主劳动而没有人身自由的人，常常被奴隶主任意买卖或杀害。小说中，虽然鲁宾逊把星期五称做奴隶，但实际上他们的关系和朋友差不多。

决定不惜一切代价弄到一个野人。现在，第二步就是怎样实施这一计划。这当然一时难以决定。

由于想不出什么妥当的办法，我决定先进行观察，看他们什么时候上岸，其余的事先不去管，到时候见机行事。

这样决定之后，我一有空就出去，差不多每天都要跑到小岛的西头或西南角去，看看海面上有没有独木舟出现。等待时日越久，我越急不可待。总之，我从前处处小心，尽量避免碰到野人，可现在却急于要同他们碰面了。

此外，我认为自己绝对有能力驾驭一个野人，甚至两三个野人也毫无问题，只要我能把他们弄到手就行。我可以叫他们成为我的奴隶，要他们做什么就做什么，并且任何时候都可以防止他们伤害我。我为自己的这种想法大大得意了一番。可是，这一切只是幻想，因为野人很久都没有再出现。

这一等就是一年半以上。一天清晨，我忽然发现有五只独木舟在岛的这头靠了岸，船上的人都已上了岛，但我不知道他们去哪儿了。他们来的人这么多，把我的计划彻底打乱了。因为我知道，一只独木舟一般载五六个人，有时甚至更多。现在一下子来了这么多船，少说也有二三十人，我一个人单枪匹马，如何能对付得过来呢！因此，我只好悄悄躲到城堡里去。我等了好久，留神听他们的动静，最后，实在耐不住了，就把枪放在梯子脚下，像平时那样，快步爬上小山顶。我拿起望远镜进行观察，

那个可怜的野人俘虏为了活命，飞快地奔跑着。

发现他们不下三十人，并且已经生
起了火，围着火堆跳舞。

　　我正在观望的时
候，又看到他们从小
船上拖出两个野人
来，把其中一个用
木棍或木刀乱打
一阵，那个人很快
就倒了下去。接着
便有两三个野人一
拥而上，动手把他开

我大声呼唤那个野人，让他
过来。

膛破腹，准备煮了来吃。另一个撂在一边的俘虏看见自
己手脚松了绑，无人看管，突然跳起来奔逃，他沿着海
岸向我这边跑来，速度快得惊人。

　　梦中的情景即将要变成现实了，而我却呆在那儿，
不知道该怎么办才好。因为我可不敢相信那些野人和梦
中一样不会来追他。后来，我发现追他的只有三个人，
胆子就大了一些。我想只要他能够再坚持半个小时，一
定可以安全地甩掉他们。果然，当那个野人游过小河
时，追他的野人只剩下了两个，并且已经被他远远地甩
在了后面。

　　这时候，我的脑子里突然产生了一个强烈的、不可
抗拒的愿望：我要找个仆人，现在正是时候，说不定我
还能找到一个侣伴、一个帮手呢。这明明是上天在召唤
我去救这个可怜的野人的命啊！我立即跑下梯子，拿起
放在梯子脚下的枪，又迅速爬上梯子，翻过山顶，向海
边跑去。我一边向上帝祈祷着，一边抄近路插入追赶者
和被追赶者之间，对着那个可怜的家伙呼唤："不要
跑！我是来救你的！"他回头望了望，仿佛对我也很害
怕。我又做了手势示意他过来，同时慢慢地向后面追过

刀

　　刀可用来切、割、削、砍，在
野外生活中能派上多种用场。现
代的刀一般是用钢铁制成的，在
古代也用铜来制造。在更原始的
时期，刀也可能用硬木头制造。

那个野人跪在地上，感谢我的救命之恩。

来的野人迎上去。

等他俩走近时，我立刻冲到走在前面的那个野人跟前，挥起枪托把他打倒在地。我不想开枪，怕枪声被其余的野人听见。其实距离这么远，他们是很难听到枪声的，即使隐隐约约听到了，他们也弄不清是怎么回事。第一个野人被我打倒之后，另外那个野人立即停住了脚步，拿起弓箭，拉开弓向我瞄准。我只好先下手为强，一枪把他打死了。

那个逃跑的野人这时也停住了脚步。这可怜的家伙虽然亲眼见到他的两个敌人都已经倒下，并且在他看来已必死无疑，但却还是被我的枪声和火光吓坏了。他站在那里，呆若木鸡，既不进也不退，看样子他很想逃跑而不敢走近我。

我向他大声招呼，做手势叫他过来。他明白了我的意思，向前走了几步，停下来；又走几步，再停下来。我看得出他在发抖，于是又向他招招手，叫他靠近我，并做出种种手势叫他不要害怕。他这才慢慢向前走，每走一二十步便跪一下，好像是感谢我救了他的命。

我向他微笑，做出和蔼可亲的样子，并一再做手势招呼他，叫他再靠近一点。最后，他走到我跟前，再次跪下，吻着地面，又把头贴在地上，把我的一只脚放到他的头上，好像在宣誓愿终身效忠于我。我把他扶起来，对他十分和气，并千方百计叫他不要害怕。

但事情还没有完。我发现我用枪杆打倒的那个野人并没有死。他刚才是被我打昏了，现在正苏醒过来。我

弓箭

弓箭是一种抛射兵器，可以射杀距离较远的敌人。弓箭出现的时间也许可以上溯到遥远的神话时代。在冷兵器时代，弓箭是一种可怕的致命武器。

向他指了指那个野人，表示他还没有死。他看了之后，就叽里咕噜向我说了几句话。虽然我不明白他的意思，可听起来还是觉得特别悦耳，因为这是我二十五年来第一次听到别人和我说话。

我发现被我救出的野人又有点害怕的样子，便举起另一支枪准备射击。这时，我那野人（现在我先这样称呼他）做了个手势，要我把挂在腰间的那把没鞘的刀借给他。于是我把刀给了他。他一拿到刀，就奔向他的敌人，手起刀落，一下子砍下了那个野人的头，他的动作如此敏捷，就算是刑场上的剑子手也不会比他更干净利落，这使我大为惊讶。因为，我完全可以相信，这个人在此之前，除了他们自己的木刀外，从未见过一把真正的刀。但现在看来，他们的木头刀也又快又锋利，一刀就能让人头落地。后来我了解到，事实也正是如此。他们的刀是用很硬的木头做成的，做得又沉重又锋利。再说我那野人砍下了敌人的头，带着胜利的笑声回到我跟前。他先把刀还给了我，然后做了许多莫名其妙的手势，把他砍下来的野人头放在我脚下。

接着，我那野人做了许多莫名其妙的手势，并用手指着那个被我开枪打死的野人，原来，他一直在纳闷着我是如何隔着这么远的距离杀人的。他做着手势要我让他过去看看。我也打着手势，竭力让他懂得我同意他过

剑子手：旧时执行斩刑的刀斧手，灵巧的剑子手能一刀就将犯人的头和躯干分离。

我救的那个野人举刀砍向那个追他的野人。

人类的不同肤色

人类皮肤的颜色主要是由皮肤内黑色素的多少决定的，黑色素分泌量多寡和分布状态的不一致决定了皮肤颜色的深浅。人类的肤色主要分黄色、白色、黑色和棕色四大类。

去看。

他走到那死人身边，简直惊呆了。他两眼直瞪瞪地看着死人，然后又把尸体翻来翻去，想看个究竟。他看了看枪眼，子弹正好打中那野人的胸部，在那里穿了个洞，但血流得不多，因为中弹后人马上死了，血就没有涌出。他取下那野人的弓箭回到我跟前，我就叫他跟我离开这地方。我用手势告诉他，后面可能有更多的敌人追上来。

他明白我的意思后，就用手势表示要把这两个尸体用沙土埋起来，这样追上来的野人就不会发现踪迹了。我同意后，他马上干起来，不到一会儿功夫，就用双手在沙土上挖了一个坑，刚好能够埋一个野人。他把尸体拖了进去，用沙土盖好，接着又如法炮制，埋了第二个野人的尸体。我估计，他总共只花了一刻钟，就把两具尸体埋好了。然后，我叫他跟我一起离开这儿。我没有把他带到城堡去，而是带到岛那头的洞穴里去。我这样

我的野人十分纳闷我如何杀死了他的敌人。

做是有意不让自己的梦境应验，因为在梦里，他是跑到我城堡外面的树丛中躲起来的。

到了洞里，我给他吃了些面包和一串葡萄干，又给了他点水喝，因为我见他跑了半天，已经又饥又渴了。他吃喝完毕后，我又指了指一个地方，做着手势叫他躺下来睡一觉。那儿铺了一堆干草，上面还有一条毯子，我自己有时也在上面睡觉。这个可怜的家伙一倒下去就呼呼睡着了。

我救的野人睡着了，他的样子英俊而又和蔼。

这个野人看起来约有二十六岁，生得非常英俊。他的个子很高，四肢挺直而又结实，但并不显得粗壮。他的皮肤不怎么黑，略带棕色，但又不像巴西人或弗吉尼亚人或美洲其他土人的肤色那样是黄金褐色的，而是一种油光乌亮的深茶青色，令人爽心悦目，却难以用言语形容。他五官端正，脸上有一种男子汉的英勇气概，又具有欧洲人那种和蔼可亲的样子，这种温柔亲切的样子在他微笑的时候表现得更为明显。他的头发又黑又长，但不像羊毛似地卷着；他的前额又高又大，目光锐利而又活泼；他的鼻子很小，但不像一般黑人的鼻子那样扁；他的嘴形长得也很好看，嘴唇薄薄的，牙齿又平又白，白得如同象牙。

弗吉尼亚：美国东部的一个州，是美国建国时的 13 个州中的 1 个。美国建国时候，弗吉尼亚州包括现在的肯塔基州和西弗吉尼亚州。西弗吉尼亚州在南北战争时分裂了。

他并没有睡得很死，实际上只打了半小时的盹就醒来了。他一醒来就跑出洞找我。当时我正在挤羊奶，他一看见我，就立刻向我奔来，趴在地上，做出各种各样的手势和古怪的姿势，表示他的臣服感激之心。最后，他又把头放在地上，靠近我的脚边，像上次那样把我的另一只脚放到他的头上，这样做了之后，又向我做出各

星期五学着我的样子，把面包泡在羊奶里吃。

骷髅

　　骷髅一般指干枯无肉的头骨或人体的全部骨骼。在小说中，骷髅应该是指野人吃剩下的人的头骨。这些头骨和人体的其他骨骼散乱地扔在沙滩上，看起来非常恐怖。

种姿势，表示顺从降服，愿终身做我的奴隶，为我效劳。

　　他的这些意思我都明白了，我用手势表示我对他非常满意。不久，我就开始和他谈话，并教他和我谈话。首先，我告诉他，他的名字叫"星期五"，这是我救他命的一天，这样取名是为了纪念这一天。我教他说"主人"，并告诉他这是我的名字。我还教他说"是"和"不是"等简短的词汇。

　　吃饭时，我拿出一个瓦罐，盛了一些羊奶给他。我把面包浸在羊奶里吃给他看。然后，我给了他一块面包，叫他学我的样子吃。他马上照办了，并向我做手势，表示很好吃。

　　晚上，我和他一起在地洞里睡了一夜。天一亮，我就叫他跟我一起出去，并告诉他，我要给他一些衣服穿。他明白了我的意思后，显得很高兴，因为他一直光着身子。当我们走过他埋下两个尸体的地方时，他向我做着手势，表示要把尸体挖出来吃掉！我做出一副呕吐的样子，向他表示我对这种行为的厌恶，并且招呼他离开，他立刻顺从地跟我走了。

我把他带到那小山顶上，看看他的敌人有没有走。我拿出望远镜，一眼就看到了他们昨天聚集的地方。但那些野人和独木舟都不见了。显然，他们把他们的两个同伴丢在岛上，连找都没有找他们，就上船走了。

我带了星期五，准备到那边去看个究竟，因为我很想获得有关那些野人的充分的情报。一到那里，呈现在我面前的是一副惨绝人寰的景象。那儿遍地都是死人骨头和人肉，鲜血染红了土地。我看到一共有三个骷髅、五只人手、三四根腿骨和脚骨，还有不少人体的其他部分。我让星期五把所有的骷髅、人骨和人肉以及其他一些野人吃剩下来的东西收集在一起，堆成一堆，然后点上火把它们通通烧成灰烬。我发现星期五对那些人肉仍垂涎欲滴，就设法让他明白，如果他敢再吃一口人肉，我就把他杀了，这才使他不敢有所表示。

办完这件事后，我们就回城堡了。一到那里，我就开始为星期五的穿着忙碌起来。首先，我给了他一条麻纱短裤。这条短裤是我从那条失事的船上的箱子里找出来的。短裤略改了一下，刚刚合他的身。然后，我又用羊皮给他做了件背心。我尽己所能缝制这件背心。另外，我还给了他一顶兔皮帽子，戴起来挺方便，样子也很时髦。他看到自己和主人几乎穿得一样好，十分高兴。但说实话，他刚开始穿上这些衣服时很不习惯，不但对穿着裤子感到很别扭，而且认为背心的袖筒磨痛了他的肩膀和胳肢窝。后来我把那使他难受的地方略微放宽了一些，再加上他对穿衣服也慢慢习惯了，他就喜欢上他

麻纱：用麻的细纤维纺成的纱或用细棉线或棉麻混纺织成的平纹布，常有纵向的突起条纹，多用来做夏季的衣服。

穿上新衣的星期五显得十分开心。

的衣着了。

回到家里的第二天，我就考虑怎样安置星期五的问题。我既要让他住得好，又要保证自己绝对安全。为此，我在两道围墙之间的空地上给他搭了一个小小的帐篷，也就是说，这小帐篷搭在内墙之外、外墙之内。在内墙上本来有一个入口通进山洞。因此，我在入口处做了一扇活门，从外面绝对无法推开，而且一动就会发出很大的声音。一到晚上，我就把梯子收进来，把门从里面闩上。同时，我在内墙和岩壁之间用长木条作椽子搭了一个屋顶，把我的帐篷完全遮盖了起来。椽子上又横搭了许多小木条，上面盖了一层厚厚的、像芦苇一样结实的稻草。这样，如果星期五想爬过内墙来到我身边，就必然会把我惊醒。此外，我每夜都把武器放在身边，以备不时之需。

其实，我根本用不着对星期五采取任何防范措施。他非常忠心、可爱和老实。他没有复杂的欲望，也没有强横的性格，更无害人之心。他对我的感情就像孩子对父亲的感情一样。我可以说，无论何时何地，他都宁愿牺牲自己的生命来保护我。后来，他的许多表现都证明了这一点。

我对他非常满意，所以决定教会他做各种各样的事情，特别是要教会他说英语，并听懂我说的话，这样他才能成为我有力的助手。他非常喜欢并善于学习，每当他听懂了我的话，或是我听懂了他的话，他就欢天喜地。因此，教他英语对我来说实在是一件乐事。

现在，我的生活变得顺心

椽子：放在檩上架着屋面板和瓦的木条。古代的椽子是以木头刨成圆柱形装配于檐底，有一定的装饰作用，而鲁宾逊所说的椽子只是单纯地起支撑作用。

我担心星期五会趁我不备时攻击我，便做了一扇门挡在洞口。

星期五听到枪声，吓得全身发抖。

多了。我甚至对自己说，只要不再碰到那批野人，哪怕永远待在这个地方，我也不在乎。

过了一段时间，我觉得应该让星期五尝尝别的肉的味道，以便他戒掉吃人肉的习惯。所以有一天早晨，我带他到树林里去。我原来想从自己的羊圈里选一只小羊，把它杀了带回家煮了吃。可是，走到半路上，我发现有一只母羊躺在树荫下，身边还站着两只小羊。我一把扯住星期五，同时打手势叫他不要动。接着我举起枪，打死了一只小羊。

可怜的星期五曾看到我用枪打死了他的敌人，但当时他站在远处，弄不清是怎么回事，也想象不出我是怎样把他的敌人打死的。可这一次他看到我开枪，听到枪声，着实吃惊不少。他浑身颤抖着，简直吓呆了，差一点瘫倒在地上。

我马上想办法使他相信，我决不会伤害他，并用手指着那打死的小羊，叫他跑过去把它带回来。他马上跑过去，在那里查看小山羊是怎样被打死的，并感

稻草

稻草是脱粒后的稻秆，可打草绳或草帘子，也可用来造纸或做饲料等。在古代，人们经常把稻草作为建造房屋的材料。

星期五惊恐地揭开背心，看
自己有没有受伤。

射程：弹头等射出后所能达到
的距离。素有"重型狙击枪之王"
的贝瑞塔（Barrett）M82A1狙击
枪的射程高达1830米。

到百思不得其解。我趁此机会重新给枪装上了子弹。

不久，我看见一只大鸟落在枪的射程内的一棵树上。为了让星期五明白我是怎样开枪的，我把他叫到跟前，用手指了指那只鸟——现在我看清了，那是一只鹦鹉——又指了指自己的枪和鹦鹉身子底下的地方，意思是说，我要开枪把那只鸟打下来。之后，我开了枪。

当枪声响起时，星期五再次吓得站在那里呆住了。后来，他扯开自己的背心，在身上摸来摸去，看看自己有没有受伤。原来他以为我要杀死他。他跑到我跟前，扑通一声跪下来，抱住我的双腿，嘴里叽里咕噜说了不少话，虽然我一句都听不懂，但我不难明白他的意思，那就是求我不要杀他。我禁不住哈哈大笑，赶紧把他扶了起来。

尤其使星期五感到惊讶的是，他没有看到我事先把弹药装到枪里去，因此他以为枪里一定有什么神奇的致命的东西，可以把任何生物都杀死。他这种惊讶很久都不能消失。我相信，如果这样继续下去，他一定会把我和我的枪当神一样来崇拜！至于那支枪，事后好几天，他连碰都不敢碰，还经常一个人唠唠叨叨地跟它说话，仿佛枪会回答他似的。后来我才从他口中得知，他是在祈求那支枪不要杀害他。

我等他的惊讶心情略微平静下来之后，就用手指了指那只鹦鹉掉下去的地方，叫他跑过去把鸟取来。结果他去了很久才回来。原来那只鹦鹉还没有死，落下来之后，又拍着翅膀挣扎了一阵子，扑腾到别处去了。可是星期五还是找到了它，取来交给了我。

我趁他去取鸟的时间重新装上弹药，有意不让他看见我是怎样装弹药的，以便我碰到其他目标时可以随时开枪，让他继续对我的枪感到神秘莫测。可是，后来我没有碰到任何值得开枪的目标，就只把那只小羊带回了家，做成了鲜美的羊肉汤。我先吃了一点，然后也让星期五吃，他表示很喜欢吃，但他很奇怪我为什么要在肉和肉汤里放盐。他向我做手势，表示盐不好吃。他把一点盐放在嘴里，做出作呕的样子，呸呸地吐了一阵子，又赶紧用清水嗽了嗽口。我也拿了一块没有放盐的肉放在嘴里，也假装呸呸地吐了一阵子，表示没有盐就吃不下去，正像他有盐就吃不下去一样。但这没有用。他就是不喜欢在肉里或汤里放盐。很长一段时间过后，他也只是放很少的盐。

食盐

食盐，学名为氯化钠，呈白色，一般取自海水、陆地的岩盐。食盐可用来调味或保存食物，适量的盐是维持身体健康所不可缺少的。

吃过煮羊肉和羊肉汤之后，我决定第二天请他吃烤羊肉。我按照英国的烤法，在火的两边各插一根有叉的木竿，上面再搭上一根横竿，再用绳子把肉吊在横竿上，让它不断转动。

星期五对我这种烤肉方法感到十分惊奇。当他尝了烤羊肉的味道后，就用各种方法告诉我他是多么喜欢这种味道。最后，他表示自己从此之后再也不吃人肉了。我感到非常高兴。

星期五跪在地上对着枪不停地说话，祈求枪不要杀害他。

第二天，我叫他和我一起去打谷，并把谷筛出来。不久，他打谷、筛谷就做得和我一样好了。我等他打完谷之后，就让他看看我做面包、烤面包。这时，

种植业

种植业是指在耕地上种植农作物的农业生产部门，它深受多种自然条件的影响。世界上的种植区主要分布在温带和热带地区。

星期五非常聪明，很快就学会了如何做面包。

他才明白打谷是为了做面包用的，因此干得更加卖力。没多久，他也能做面包、烤面包了。

这时，我也考虑到，既然添了一张嘴吃饭，就得多开一点地，多种一点粮食。于是，我又划了一块较大的地，像以前一样把地圈起来。星期五做我的帮手，他干得既主动又卖力，而且干起活来总是高高兴兴的。我又把这项工作的意义告诉他，使他知道现在添了他这个人，就得多种些粮食，多做些面包。他马上领会了这个意思，并表示他知道，我为他干的活比为我自己干的活还多。所以，只要我告诉他怎么干，他一定会尽心竭力地去干。

后来，星期五已经能把英语说得相当不错了，也差不多完全能明白我要他拿的每一样东西的名称和我派他去的每一个地方，而且，他还喜欢一天到晚跟我谈话。相处久了，我越来越感到他是多么的天真和诚实，我真的从心底里喜欢上了他。同时，我也相信，他爱我胜过爱任何人。

当我觉得星期五的英语已经能回答我提出的任何问题时，我问他，他的部族是否在战争中从不打败仗。听了我的问题，他笑着回答："是的，是的，我们一直打得比别人好。"他的意思是说，在战斗中，他们总是占优势。由此，我们开始了下面的对话：

主人：既然你们一直打得比人家好，那你怎么当了俘虏呢？

星期五：在我打仗的地方，他们的人比我们多。他们抓住了一个、两个、三个，还有

我。在另一个地方，我们的部族打败了他们。在那儿，我们抓了他们一千、两千人。

主人：你们的人为什么不把你们救回去呢？

星期五：因为，他们把一个、两个、三个，还有我，一起放到独木舟上逃跑了。我们的部族那时正好没有独木舟。

主人：那么，星期五，你们的部族怎么处置抓到的人呢？他们是不是也把俘虏带到一个地方，把他们杀了吃掉？

星期五：是的，我们的部族也吃人肉，把他们统统吃光。

主人：他们把人带到哪儿去了？

星期五：带到别的地方去了，他们想去的地方。

主人：他们来过这个岛吗？

星期五：是的，是的，他们来过，也到别的地方去。

主人：你跟他们来过这儿吗？

星期五：是的，我来过这儿。

星期五的英语进步得很快，慢慢地，我们已经能够用英语进行交流了。

战争的起源

在原始社会晚期的母系氏族公社时期，随着人口的增多、部落的扩大，部落和部落之间为了争夺生活资料而开始发生武力冲突，从而演变成原始状态的战争。

星期五不会用英语数到20，就在地上摆了许多的石子。

加勒比人：拉丁美洲印第安人的一支，主要分布在亚马孙盆地、圭亚那高原、加勒比地区以及中美东部低地，属蒙古人种印第安类型。

通过这次谈话，我了解到，星期五以前也经常和那些野人在岛的另一头上岸，在那里吃人。几天过后，我鼓起勇气，把他带到岛的那一头，也就是我前面提到过的海岸。

星期五马上认出了那地方，告诉我他曾到过那地方一次，那次他们吃了二十个男人、两个女人和一个小孩。他还不会用英语数到二十，所以用许多石块在地上排成了长长的一行，用手指着那行石块以便让我明白。

接下来我问他，小岛离大陆究竟有多远，独木舟是否经常出事。他告诉我，没有任何危险，独木舟也从未出过事。但在离小岛不远处，有一股急流和风，上午是一个方向，下午又是一个方向。

起初，我还以为这不过是潮水的流向导致的。后来我才弄明白，那是由于那条叫作奥里诺科河的大河倾泻入海，形成回流造成的。而我们的岛刚好是在该河的一处入海口上。我在西面和西北面看到的陆地，正是一个大岛，名叫特立尼达岛，正好在河口的北面。

我向星期五提出了无数的问题，问到这一带的地形、居民、海洋、海岸，以及附近的居民。他毫无保留地把他所知道的一切都告诉了我，而且态度十分坦率。我又问他，他们这个民族分成多少部落，叫什么名字。可问来问去，我只问出一个名字，就是加勒比人。我马上明白，他所说的是加勒比群岛，在我们的地图上属于美洲地区。这些群岛从奥里诺科河河口一直延伸到圭亚那，再延伸到圣马大。

他指着我的胡子说，在月落的地方，离这儿很远很远，也就是说，在他们国土的西面，住着许多像我这样

有胡子的白人。他又说，他们在那边杀了很多很多的
人。从他的话里，我明白他指的是西班牙人。

我问他能不能告诉我怎样才能从这个岛上到那些白
人那边去。他对我说："是的，是的，可以坐两只独木
舟去。"我不明白"坐两只独木舟去"是什么意思，也
无法使他说明"两只独木舟"的意思。到最后，费了好
大的劲，我才弄清楚他的意思。原来他是说一只很大很
大的船，要像两只独木舟那样大。

星期五的谈话使我很感兴趣。从那时起，我就抱着
一种希望，希望有一天能有机会从这个荒岛上逃出去，
并指望星期五能帮助我达到目的。

现在，星期五与我在一起生活了相当长一段时间
了。在这段时间里，我经常向他灌输一些宗教知识。在
这里，我们有《圣经》可读，这就意味着我们离圣灵不
远，可以获得圣灵的教导，就像在英国一样。后来，星
期五成了一个虔诚的基督徒，甚至比我自己还要虔诚。

在共同的生活中，我和星期五成了好朋友。我说的

特立尼达岛的发现
特立尼达岛位于加勒比海东
端，原为印第安人居住地。1498
年，哥伦布航行经过该岛附近，宣
布该岛为西班牙所有。

星期五给我讲述他们部落
的事。

欧洲

欧洲是欧罗巴洲的简称，面积为1016万平方千米，包括45个国家和地区。欧洲居民中的99%属于欧罗巴人种（白种人），因此欧洲是种族构成比较单一的洲。

我送给星期五一把斧头作为随身武器，他高兴极了。

话他几乎都能听懂，他的英语尽管说得还不太地道，但也已经能相当流利地与我交谈了。这时，我就把自己的经历告诉了他，特别是我怎样流落到这小岛上来，怎样在这儿生活，在这儿已生活了多少年，等等。我也把火药和子弹的秘密告诉了他，并教会了他开枪。我还给了他一把刀，对此他高兴极了。我又替他做了一条皮带，皮带上挂了一个佩刀的搭环，就像在英国我们用来佩刀的那种搭环。不过，我没有让他在搭环上佩腰刀，而是给他佩了把斧头，因为斧头不仅在战斗时可以派上用场，而且在平时也有很多用处。

我又把欧洲的情况，特别是我的故乡英国的情况说给他听，告诉他我们是怎样生活的，人与人之间怎么相处，以及怎样乘船到世界各地做生意。我还把我所乘的那条船出事的经过告诉他，并指给他看沉船的大致方位。至于那条船，早已给风浪打得粉碎，现在连影子都没有了。我又把那只小艇的残骸指给他看，也就是我们逃命时翻掉的那只救生艇。我曾经竭尽全力想把它推到海里去，但怎么使劲小艇都分毫不动。现在，这小艇差不多已烂成碎片了。

星期五看到那只小艇时，在那里站了很久，一句话也不说。我问他在想些什么，他说："我看到过这样的小船到过我们的地方。"我一时不明白他的意思，后来经过详细追问，我才明白，曾经有一只小艇，同这只一模一样，在他们住的地方靠岸。而且，据他说，小艇是被风浪冲过去的。由此，我马上联想到，这一定是一只欧洲的商船在他们海岸附近的海面上失事了，那小艇是被风浪打离了大船，漂到了他

们的海岸上。当时，我的头脑真是迟钝极了，我怎么也没有想到有人也许会从我曾看见的那条失事的船只上乘坐小艇逃到了他们那边。至于那是些什么人，我当然更是想都没有想过。因此，我只是要星期五把那只小艇的样子详详细细地给我描绘一番。

星期五把小艇的情况说得很清楚。后来，他又很开心地补充说："我们还从水里救出了一些白人。"这才使我进一步了解了他的意思。我马上问他小艇上有没有白人。他说："有！满满一船，都是白人！"我问他有多少白人，他用手指头扳着告诉我，一共有十七个。我又问他们现在的下落。他回答："他们都活着，现在还住在我们的部落里。"这时他的话才使我产生了新的联想。我想，那些白人一定是我上次在岛上看到的出事的那条大船上的船员。他们在大船触礁后，知道船早晚会沉没，就上小艇逃生到野人聚居的蛮荒的海岸，上了岸。

因此，我更进一步地打听那些白人的下落。星期五

我把我们逃命时用的那只救生艇的残骸指给星期五看，星期五告诉我他曾经见过这样的小艇。

救生艇

救生艇指在轮船、军舰或港口设置的小船，一般具有体小灵活、速度快捷和操纵方便等特点，可用来营救在水上遇险的人。

星期五看到远处自己的家乡，显得异常兴奋。

美洲的发现

美洲包括北美洲和南美洲。意大利航海家哥伦布于1492年发现美洲，为后期西班牙对美洲的掠夺打下了基础。

再三告诉我，他们现在仍住在那里，已经住了四年了。野人们不去打扰他们，还供给他们粮食吃。我问他，他们为什么不把那些白人杀了吃掉呢？星期五说："不，我们和他们成了兄弟。"对此，我的理解是，他们之间有一个休战协议。接着，他又补充说："我们只是打仗时吃人，平时是不吃人的。"这就是说，他们只吃在战争中抓到的俘虏，平时一般是不吃人的。

很久之后的一天，天气晴朗，我和星期五偶然走上岛东边的那座小山顶。在那儿，也是在一个晴朗的日子里，我曾看到了美洲大陆。当时，星期五全神贯注地朝大陆方向眺望了一会儿，忽然间手舞足蹈，还喊我过去看。我问他是怎么回事。他说："噢，我看到我们的部落了，我看到了我的家乡！"这时，我见他脸上呈现出一种异乎寻常的欣喜。他的双眼闪闪发光，流露出一种兴奋和神往的神色，仿佛想立刻返回故乡似的。

看到这儿，我胡思乱想起来，不由得对星期五起了戒心。我毫不怀疑，只要星期五能回到自己的部落中，他不但会忘掉他的宗教信仰，而且也会忘掉他对我的全部义务。他一定会毫不犹豫地把我的情况告诉他部落里的人，说不定还会带上他的一两百个同胞到岛上来，拿我来开一次人肉宴。那时，他一定会像吃战争中抓来的俘虏那样兴高采烈。

在接下来的日子里，我的疑虑有增无减，一连好几个星期都不能排除，与他也不像以前那样融洽了。我对他采取了不少防范措施，对待他也没有像以前那样友好、那样亲热了。其实，我的这些想法大大冤枉了这个可怜的老实人。他一直和从前一样，既忠实，又感恩，根本就没有想到这些事情上去。后来的事实也证明，他既是一位虔诚的基督徒，又是一位知恩图报的朋友。

基督教

基督教是信奉耶稣基督为救世主的宗教，包括天主教、东正教、新教等教派，公元1世纪左右形成于罗马帝国。

有一天，我们又走上了那座小山。但这一次海上雾蒙蒙的，根本看不见大陆。我很想试试他，看他是否还怀念自己的故乡，就对他说："星期五，你想不想回到自己的家乡，回到自己的部族去呢？"

他马上回答："是的，我很想回到自己的部族去。"

我心里一沉，说："你回去打算做什么呢？你要重新过野蛮生活，再吃人肉，像从前那样做个野人吗？"

他的脸上马上显出郑重的神色，拼命摇着头说："不，不！星期五要告诉他们做好人，告诉他们要向上帝祈祷，告诉他们要吃谷物面包，吃牛羊肉，喝牛羊奶，不要再吃人肉。"

我说："那他们就会杀死你。"

他一听这话，笑了，说："不，他们不会杀我。他们爱学习。"他的意思是说，他们愿意学习。接着，他又补充说，他们已经从小艇上来的那些有胡子的人那儿学了不少新东西。

我带着星期五又一次登上小山眺望他的家乡。

胡须

　　青春期后的男性一般都会长胡须，这是雄性激素作用的结果。胡须的多少和形状同民族有关，也与家族遗传有关。

　　星期五跟我说，他们已经从小艇上的白人那儿学了不少东西。

　　然后，我说如果他想回去就可以回去。他笑着对我说，他不能游那么远。我告诉他，我可以给他做条独木舟。他说，如果我愿意跟他去，他就去。

　　"我去？"我说，"我去了，他们不就把我吃掉了？"

　　"不会的，不会的，"他说，"我会叫他们不吃你。我会叫他们爱你，非常非常爱你！"

　　他的意思是说，他会告诉他们我怎样杀死了他的敌人，救了他的命。所以，他会使他们爱我。接着，他又竭力描绘他们对待那十七个在船只遇难后上岸到他们那儿的白人怎么怎么好，他叫他们"有胡子的人"。

　　从这时起，我得承认，我很想冒险渡海过去，看看能否与那些有胡子的人会合。我毫不怀疑，那些人不是西班牙人，就是葡萄牙人。我也毫不怀疑，一旦我能与他们会合，就能设法离开这儿。因为，一方面我们在大陆上；另一方面，我们成群结伙，人多势众，这要比我一个人孤立无援，从离大陆四十海里的小岛上逃出去容

易多了。

过了几天，我又带星期五外出工作，谈话中我对他说，我将给他一条船，可以让他回到自己的部族那儿去。为此，我把他带到小岛另一头存放小船的地方。以前我一直把船沉在水底。所以，到了那儿我先把船里的水排干，再让船从水里浮上来，并和他一起坐了上去。

可是，在我对他的疑惧没有消除之前，我每天都要试探他，希望他无意中会暴露出自己的思想，以证实我对他的怀疑。可是我却发现，他说的每一句话都那么诚实，实在找不出任何可以让我疑心的东西。因此，尽管我心里很不踏实，他还是赢得了我的信任。在此期间，他一点也没有看出我对他的怀疑。

星期五希望我和他一起去他们的部族。

我发觉他是一个驾船的能手，可以把船划得比我快一倍。所以，在船上，我对他说："好啦，星期五，我们可以到你的部族去了吗？"听了我的话，他愣住了。看来，他似乎是嫌这船太小，走不了那么远。这时，我又告诉他，我还有一只大一点的船。第二天，我又带他到我存放自己造的第一只船的地方，我造了那只船却无法使它下水，于是，那只船在那儿一躺就是二十二三年，被太阳晒得到处干裂并朽烂了。星期五告诉我，这样的船就可以了，可以载足够的食物和水。

这时，我已经一心一意打算同星期五一起到大陆上去了，但还是想试试星期五。

我对他说，我们可以动手造一条跟这一样大的船，让他乘着回家。他一句话也没有说，脸上露出很沉重、很难过的表情。我问他怎么了，他反问我道："你为什

白种人

白种人是世界四大人种之一，又称欧罗巴人种、欧洲人种、欧亚人种、印欧人种或白色人种，主要分布于从印度到西班牙的一片广大地区，包括欧洲及相邻的北非、西非和印度。

星期五把斧头交给我，跪在地上让我杀死他。

基督教的传播
　　基督教于公元1世纪左右形成于罗马帝国，在耶路撒冷、君士坦丁堡、罗马、安提阿以及亚历山大传播开之后，又沿着地中海沿岸的贸易路线传播。

么生星期五的气？我做错了什么事？"我问他这么说是什么意思，并告诉他，我根本没有生他的气。"没有生气！没有生气！"他把这句话说了一遍又一遍。"没有生气为什么要把星期五打发回家？"我反问道："星期五，你不是说你想回去吗？""是的，是的，"他说，"我想我们两个人都去，不是星期五去，主人不去！"总而言之，没有我，他是绝不想回去的。

　　我说："我去！星期五，可是我去了你们那儿，有什么事可做呢？"他马上回答："你可以做很多、很多的好事。你可以教我的部族的人，使他们成为善良、和气、有头脑的人。你可以教他们认识上帝，向上帝祈祷，使他们过一种新的生活。"

　　"唉！星期五，"我说，"你不知道自己在说些什么。我也是一个无知的人啊！"

　　"你行，你行！"他说，"你能把我教好，也就能把他们大家都教好。"

　　"不行，不行！星期五，"我说，"你自己去吧，让我一个人留在这儿，仍像以前一样过日子吧！"

他听了我的话，脸上表现出迷惑的表情。过了一会儿，他跑去把他日常佩带的那把斧头取来递给我。

"你这是干什么，星期五？"我惊奇地问。

"拿着它，杀了星期五吧！"他说。

"我为什么要杀星期五呢？"我更诧异了。

他马上回答："你为什么要赶走星期五呢？拿斧头杀了星期五吧！不要赶他走。"他说这几句话的时候，态度十分诚恳，眼睛里噙着泪花。

这时，我非常清楚地看到，他对我真是一片真情。因此，我认真地对他说，只要他愿意跟我在一起，我再也不打发他走了。后来，我还反反复复地把这些话对他说了无数次。

总之，从和星期五全部的谈话来看，他对我的感情是非常真诚的，他绝对不愿离开我。他之所以想回到自己的家乡去，并让我和他一起去，完全是出于对自己部族的热爱，并认为我去了对他们有好处。可是，对此我自己却毫无把握。虽然我并不想为此而去对面的大陆，可我去对面的大陆的愿望却更强烈了，因为我从他的谈话里得知那边有十七个有胡子的白人，也许我们会合到一起，就可以返回自己的故乡。

因此，我跟星期五一起去找一棵可以砍伐的大树，用它来造一只大一点的独木舟，以便驾着它去对面的大陆。这座岛上到处是树木，足够用来造一支小小的船队，但我的主要目的是找一棵靠近水边的树。这样，船造好之后就可以下水了。

世界上最大的游船

到目前为止，世界上最大的游船是于2003年8月完工的"玛丽皇后"2号，其长度是4个足球场的长度之和，高度相当于一座23层的大楼。

星期五眼里噙着泪水，一脸的真诚。

滚动摩擦和滑动摩擦

对于同样的两个物体来说，其接触面上产生的滚动摩擦力要比滑动摩擦力要小得多。鲁宾逊用转木把船推到水中就是把原来船底和地面的滑动摩擦变成了滚动摩擦，所以比较省力。

大船造好之后，我们把滚木放在它下面，慢慢把它推下了水。

9
迎接新居民

用什么木料造船，星期五要比我内行得多。最后，他终于找到了一棵可以用来造船的树，这棵树的样子介于黄金木和中南美的红杉之间。星期五打算用火把这棵树烧空，造成一只独木舟，但我教他用工具来凿空。我把工具的使用方法告诉他之后，他很快就掌握了。经过一个月左右的辛勤劳动，我们终于把船造好了。我们发现这艘船载上二十个人也绰绰有余，而且船的外形也很美观。之后，我们又花了差不多两个星期的工夫，用大转木一寸一寸地把它推到水里。

虽然这艘船很大很重，但星期五驾着它摇桨如飞，回旋自如，使我大为惊异。我问他，我们能不能坐这只船过海。"是的，"他说，"我们能乘它过海，就是有风也不要紧。"

不过，我觉得这艘船还不够完美，我想给它装上桅杆和船帆，再配上锚和缆索。说到桅杆，那倒容易。我在附近选了一根笔直的小杉树，让星期五把这棵树砍下来，并教他把树削成桅杆的样子。可是做

船帆就有点伤脑筋了。虽然我藏了不少旧船帆，但这些东西已放了二十多年了，因为以前我从来没有想到这些东西还会有什么用处，所以也没有好好保管，因此，那些旧帆布中的大部分都已烂掉了。可是，从这些烂帆布中间，我还是找到了两块可以用来做船帆的材料。因为我们没有针，所以花了不少力气，

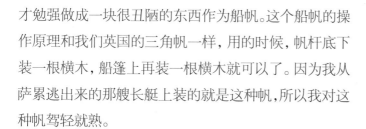

才勉强做成一块很丑陋的东西作为船帆。这个船帆的操作原理和我们英国的三角帆一样，用的时候，帆杆底下装一根横木，船篷上再装一根横木就可以了。因为我从萨累逃出来的那艘长艇上装的就是这种帆，所以我对这种帆驾轻就熟。

我运用舵和帆可以使小船自由地航行，这令星期五十分吃惊。

这最后一项工作差不多花了我两个月的工夫，因为我想把制造和装备桅杆及船帆的工作做得尽可能完美无缺。此外，我还配上小小的桅索以帮助支撑桅杆。我在船头还做了个前帆，以便逆风时行船。尤其重要的是，我在船尾还装了一个舵，这样船在转换方向时就容易多了。我造船的技术并不能算高明，但是知道这些东西非常有用，而且是必不可少的，也就只好尽力去做了。

小船装备完毕后，我把使用帆和舵的方法教给星期五。他虽然是个划船的好手，可是对使用帆和舵却一窍不通。他见我用手掌舵，驾着小舟在海上往来自如，又见那船帆随着航行方向的变化而一会儿这边灌满了风，一会儿那边灌满了风，不禁大为惊讶。在我的教导下，他不久就学会了使用舵和帆，成了一个出色的水手。只是罗盘这个东西，我却始终无法使他理解它的作用，好在这一带旱季时很少有云雾天气，白天总能看到海岸，

杉树
杉树是常绿乔木的一种，高可达30米，树干端直，树形整齐。杉木纹理顺直、耐腐防虫，广泛用于建筑、桥梁、电线杆、造船、家具和工艺制品等方面。

为了这次远航，我精心准备了许多食物。

葡萄

葡萄是落叶藤本植物的一种，它的果实呈球形或椭圆形，成熟时多为紫色或黄绿色，味酸甜，多汁，是常见水果，也用来酿酒。

晚上总能看到星星，所以很少用到罗盘。而到了雨季一般都不出门，就是在岛上也很少走动，更不用说出海航行了。

现在已经是我流落到这个荒岛上的第二十七年了。像过去一样，我怀着感激的心情度过了我上岛的纪念日。假如我过去有充分的理由感谢上帝的话，那现在就更是如此了。因为我心里已明确地感觉到，我脱离大难的日子已经为期不远，自己在这儿可能不会再呆上一年了。尽管如此，我仍像过去一样耕作、挖土、种植和打围篱，采集和晒制葡萄干这些日常工作也都照样进行。

雨季快到了，那时我们大部分时间都只好待在家里，为此，我得先把我们的新船放置妥当。我把船移到从前卸木排的那条小河里，并趁涨潮时把它拖到岸上。我又叫星期五在那里挖了一个小小的船坞，宽度刚好能容得下小船，深度刚好在把水放进来后能把船浮起来。在退潮后，我们又在船坞口筑了一道坚固的堤坝挡住海水。这样，即使潮水上涨，也不会浸没小船。为了遮住雨水，我们又在船上面堆了好几层树枝，看上去像个茅草屋的屋顶。然后，我们就等候着十一月和十二月的到来，那是我们准备冒险的日期。

雨季过后，随着天气日渐好转，我又忙着计划起冒险航行的事，我做的第一件事，就是储备足够的粮食供航行之用，并打算在一两个星期内掘开船坞，把船放到水里去。

一天早晨，我正忙着这类事情，就叫星期五去海边抓个海龟。突然，星期五飞速跑回来，纵身跳进外墙。我还来不及问他是怎么回事，他就大叫道："主人，主人，不好了，不好了！"

我赶紧问："什么事，星期五？"

他气喘吁吁地说："那边有一只，两只，三只独木舟，一只，两只，三只！"

听了他这种说法，我还以为有六只独木舟，后来又问了问，才知道只有三只。我说："不要害怕，星期五，我们不会有任何危险的！"我尽量给他壮胆。可是，这可怜的家伙简直吓坏了，因为他首先想到的是，这些人是来找他的，并会把他切成一块块吃掉。我尽量安慰他，告诉他我也和他一样有危险，他们也会吃掉我。"不过，"我说，"我们得下定决心与他们打一仗。你能打吗，星期五？"

他说："我会放枪，可他们来的人太多。"

我说："那不要紧，我们的枪就是不打死他们，也会把他们吓跑。"于是我又问他，如果我决心保护他，他是否也会站在我一边，听我的吩咐，保护我。

他说："你叫我死都行，主人。"

于是我拿了一大杯甘蔗酒让他喝下去，然后叫他把我们平时经常携带的那两支鸟枪拿来，并装上大号的沙弹，那些沙弹有手枪子弹那么大。接着，我自己也取了四支短枪，每支枪里都装上两颗弹丸和五颗小子弹，又把两支手枪各装了一对子弹。此外，我又在腰间挂了那把没有刀鞘的大刀，给了星期五那把斧头。

做好战斗准备，我就拿了望

堤坝

堤坝泛指防水、拦水的建筑物，能拦截江河山川的水，起调节水量的功能。蓄积起来的水除了供给农业用水外，还可用来发电和为城市自来水提供充足的水源。

星期五慌张地告诉我，外面来了3只小船。

弹药

弹药是指含有火药、炸药或其他装填物，爆炸后能对目标起毁伤作用的军械物品。它包括枪弹、炮弹、手榴弹和航空炸弹等，是武器系统中的核心部分。

远镜跑到山坡上去看动静。从望远镜里，我很快就看出一共来了二十多个野人，还带了三个俘虏。他们一共有三只独木舟。我还注意到，他们这次登陆的地点，不是上回星期五逃走的那地方，而是更靠近那条小河的旁边。

我先把早已装好弹药的武器分作两份，交给星期五一支手枪，叫他插在腰带上，又交给他三支长枪，让他背在肩上，然后把一大袋火药和子弹交给星期五拿着。我自己也拿了一支手枪和三支长枪，又取了一小瓶甘蔗酒放在衣袋里，然后就出发了。我让星期五紧跟在我身后，没有我的命令，不得随便开枪，不得任意行动，也不许说话。

我带着星期五向右绕了一个圈子，差不多有一英里，以便越过小河，钻到树林里去。我要在他们发现我们之前，就进入能够射击他们的距离，根据我用望远镜所做的观察，这一点是很容易做到的。

但是在前进过程中，我的决心却有些动摇了。我

星期五躲在一棵大树后，查探野人的动静。

想，我究竟有什么使命、什么理由、什么必要去袭击这些人呢？对我而言，他们是无辜的。至于他们那种野蛮的风俗，也只是他们自己的不幸，上帝并没有召唤我，要我去判决他们的行为。当然，对星期五来说，去袭击他们倒是名正言顺的事情，因为星期五和这群人是公开的敌人，和他们正处于交战状态。最后，我决定先站在他们附近，观察一下他们野蛮的宴会，然后根据上帝的指示见机行事。

星期五跟着我向远处射击。

我进入了树林。星期五紧随在我身后，小心翼翼地往前走，到了树林边沿的一角，我悄悄招呼星期五，指着树林角上最靠外的一棵大树，要他隐蔽在那棵树后观察一下。他去了一会儿，就回来对我说，那些野人正围着火堆吃一个俘虏的肉，另外还有一个俘虏，正躺在离他们不远的沙地上，手脚都捆绑着。那躺着的俘虏不是星期五他们部落的人，而是他曾经对我说过的坐小船到他们部落里去的那种有胡子的白人。

我大为惊讶，悄悄走到那棵大树背后用望远镜一看，果然见一个白人躺在海滩上，手脚被像菖蒲似的东西捆绑着。同时，我还看出，他是个欧洲人，身上穿着衣服。这时，我看到在我前面还有一棵树，树前头有一小丛灌木，后面有一片小小的高地，比我所在的地方离他们要近五十码。我只要绕一个小圈子，就可以走到那边，而且不会被他们发觉。所以我就往回走了二十多步，来到一片矮树丛后面。靠着这片矮树丛的掩护，我一直走到那棵大树背后登上高地，这时他们的一举一动我都可以尽收眼底了。

我看到有十九个野人挤在一起坐在地上，另外两个

菖蒲

菖蒲是一种多年生草本植物，一般生在水边，叶子形状像剑，花呈黄绿色，地下根茎为淡红色，根茎有芳香，可做香料，也可入药。

野人们吓得魂飞魄散，四处逃跑。

野人这时正弯下腰，解着那白人脚上绑的东西，估计接下来就要拿他开刀。事情已发展到万分紧急的关头了！我转头对星期五说："你看我怎么办就怎么办，不要误事！"于是，我把一支短枪和一支鸟枪放在地下，星期五也跟着把他的一支鸟枪和一支短枪放在地下。我用剩下的一支短枪向那些野人瞄准，星期五也用枪向他们瞄准。然后，我问星期五是否准备好了，他说："好了！"我就命令道："开火！"同时我自己也开了枪。

星期五的枪法比我强多了。他开枪后打死了两个，伤了三个。我只打死了一个，伤了两个。不必说，那群野人顿时吓得魂飞天外，从地上跳了起来，不知道往哪儿跑好，也不知道往哪儿看好，因为他们根本不知道这场灾祸是从哪儿来的。我放完第一枪，马上把手里的短枪丢在地上，拿起一支鸟枪。星期五的一双眼睛一直紧盯着我，因为我吩咐过他，我做什么他就做什么，此时他也把短枪换成了鸟枪。他看见我闭起一只眼瞄准，他也照样瞄准。我问："星期五，你预备好了吗？"他说："好了！"我就说："以上帝的名义，开火！"说着，我就向那群惊慌失措的畜生又开了一枪，星期五也开了枪。这一次，我们枪里装的都是小铁沙或手枪子弹，所以只打倒了两个，但受伤的却很多。只见他们全身是血，像疯子似的乱跑乱叫，其中大多数都受了重伤。不久，就有三个人倒下了，但还没有完全死去。

瞄准

瞄准指射击时为使子弹、炮弹打中一定目标，调整枪口、炮口的方位和高低。瞄准动作的正确与否，对射击的准确性影响极大。

我把放过弹的鸟枪放下来，把那支装好弹药的短枪拿在手里，对星期五说："现在，星期五，你跟我来！"于是我冲出树林，星期五紧跟在我后面，寸步不离。当我看到那些野人已经能够看得见我们时，我就拼命地大声呐喊，同时叫星期五也跟着我大声呐喊。我一面呐喊，一面向前飞跑。其实我根本跑不快，因为身上的枪械实在太重了。

我一路向那可怜的俘虏跑去。前面已经说过，那可怜的有胡子的人这时正躺在野人们所坐的地方和大海之间的沙滩上。在我们放头一枪时，那两个正要动手杀他的野人就吓得魂不附体。他们丢开了俘虏，拼命向海边跑去，跳上了一只独木舟。这时，那群野人中也有三个向同一方向逃跑，跳上了独木舟。

我回头吩咐星期五，要他追过去向他们开火。他立即明白了我的意思，向前跑了约四十码，等到快接近独木舟时就开枪了。起初我以为他把他们通通打死了，因为我看到他们很快便都倒在船里了，可是不久我看到他们中的两个人又坐了起来。尽管如此，星期五也打死了两个，打伤了一个，那个受伤的倒在船舱里，仿佛死了一般。

我们所进行的这场攻击实在太出乎这群野人的意料了，这些可怜的家伙被我们的枪声吓得东倒西歪，连怎样逃跑都不知道，就只好拿他们的血肉之躯来抵挡我们的枪弹。星期五在小船上打死打伤的那五个，情形也一样。他们中有三个确实是受了伤倒下的，后来坐起来的两个却是吓昏了倒下的。

当星期五向那批逃到独木舟上的

枪械的发展

18世纪初，人们在使用火药的过程中逐渐发明了最早的枪械。之后，枪械制造的技术不断提高，出现了左轮手枪以及发射金属子弹的步枪等一系列的枪械。

我帮西班牙人松了绑。他看起来十分虚弱。

野人开火时，我拔出刀子，把那个可怜的俘虏身上捆着的菖蒲割断，把他的手脚松了绑，然后把他从地上扶起来。

我用葡萄牙语问他是什么人。他用拉丁语回答："基督徒。"他已疲惫不堪，几乎站都站不起来，甚至连话都说不出来了。我从口袋里拿出那瓶酒，作手势叫他喝一点。他马上喝了几口。我又给了他一块面包，他也吃了下去。于是我又问他是哪个国家的人，他说："西班牙人。"这时，他的精神已稍稍有些恢复，便做出各种手势，表示他对我救了他的命如何如何感激。"先生，"我把我所知道的西班牙语通通搬了出来，"这些我们回头再说吧。现在打仗要紧。要是你还有点力气的话，就拿上这支手枪和这把刀杀过去吧！"他马上把武器接过去，表示十分感激。他手里一拿到武器，就仿佛滋生了新的力量，顿时向他的仇人们扑过去，很快就砍倒了两个，并把他们剁成了肉泥。

拉丁语：原本是意大利中部拉提姆地方的方言，后来因为发源于此地的罗马帝国势力扩张而广泛流传于欧洲各地。

我给这个西班牙人一些食物，让他补充体力。

这时候，我手上仍拿着一支枪，但我没有开枪，因为我已把手枪和腰刀给了那西班牙人，手里得留一支装好弹药的枪，以防万一。我把星期五叫过来，吩咐他赶快跑到我们第一次放枪的那棵大树边，把那几支枪拿过来。他很快就取回来了。于是我把自己的短枪交给他，自己坐下来给所有的枪再次装上弹药，并告诉他需要用枪时随时可来取。

西班牙人虽然被野人压在身下，但他急中生智，拔出枪来，一枪结果了敌人的性命。

正当我在装弹药时，忽然发现那个西班牙人正和一个野人扭作一团，打得不可开交。那个野人手里拿着一把木头刀跟西班牙人拼杀。那个西班牙人虽然身体虚弱，却异常勇猛。我看到他时，他已和那野人恶战了好一会儿了，并且在那个野人头上砍了两个大口子。可是，那个野人威武有力，只见他向前猛地一扑，就把西班牙人摞倒在地上，并伸手去夺西班牙人手中的刀。那个西班牙人被他压在下面，急中生智，连忙松开手中的刀，从腰间拔出手枪，我还没来得及跑过去帮忙，他早已对准那野人，一枪结果了他的性命。

星期五手里只拿了一把斧头，向那些望风而逃的野人追去。他先用斧头结果了刚才受伤倒下的三个野人的性命，然后把他能追赶得上的野人杀了个精光。这时候，那个西班牙人跑过来向我要枪，我就给了他一支鸟枪。他拿着鸟枪，追上了两个野人，把他们都打伤了，但因为他已没有力气再跑了，那两个受伤的野人就趁机逃到树林里去了。这时星期五又追到树林里，砍死了一个。另一个却异常敏捷，虽然受了伤，还是跳到海里，拼力向留在独木舟上的那两个野人游去。这三个人和一个受了伤而生死不明的野人从我们手中逃出去了，二十

巴别塔

圣经中记载，最初人类的语言都是相同的，他们打算建一座塔，塔顶通天，上帝在一夜之间变乱他们的口音使之终止。建造中断的塔便叫"巴别塔"，"巴别"就是"变乱"的意思。

一名中其余的十七人都被我们打死了。

那几个逃上独木舟的野人奋力划着船，想逃出我们的射程。虽然星期五向他们开了两三枪，但却没有打中其中任何一个。

星期五希望去追杀他们。其实，放这几个野人逃走，我心里也

星期五见到他父亲后喜极而泣。

很有顾虑。因为如果这些逃跑的野人把消息带回本部落，说不定他们会坐上两三百只独木舟卷土重来，那时，他们将以多胜少，把我们通通杀光吃掉。于是，我准备跳上一只独木舟前去追赶。可是，我一跳上独木舟就发现上面还躺着一个野人俘虏，那俘虏的手脚都被捆绑着，无法抬头看船外边的情况，这时已吓得半死，再加上脖子和脚给绑得太紧，而且也绑得太久，所以只剩一口气了。

我立刻把捆在他身上的菖蒲之类的东西割断，想把他扶起来，但是他连说话的力气都没有了，更不要说站起来了。他只是一个劲儿地哼哼着，样子可怜极了，因为他以为给他松绑是准备要杀他呢。

船速的单位——节

船的行驶速度一般用"节"来表示，"节"的代号是英文"Knot"的词头"Kn"。1节等于每小时1海里，也就是每小时行驶1.852千米。

随后，星期五上了船，我马上叫星期五跟这个野人讲话，告诉他他已经得救了。同时，我又把酒瓶掏出来，叫星期五给这个可怜的野人喝两口。不料，星期五一听见他说话，再看清他的脸，立刻又是吻，又是拥抱，接着又一个劲儿地乱跳狂舞，然后大哭大嚎，言行举止活像个疯子。他稍稍镇静了一会儿，才告诉我这个野人是他父亲。我看见星期五见到他父亲绝处逢生，竟然如此激动，我内心的感动真是难以言表。

星期五父亲的出现使我们完全忘了要去追赶那些逃跑的野人。不过，我们没有去追击他们倒是我们的运气。因为两个小时后，海上忽然刮起了狂风，风向刚好和那些野人逃走的方向相反，所以我推测他们连船带人都被风浪卷入海中了。

此时，星期五正忙着照顾他的父亲。我发现，星期五真是个实实在在的孝子。为了使父亲感到舒服些，他捧住父亲已经被绑得发麻的手脚不停地搓擦。我见他这样做，就把酒瓶里的甘蔗酒倒了一些给他，叫他用酒来按摩，这样效果就好多了。接着，他又以飞一般的速度，为父亲弄来了食物和淡水。就连我让他照顾西班牙人的时候，他也要频频回头，看他的父亲是否还坐在原来的地方。有一次，他忽然发觉他父亲在自己的视野中消失了，就立即跳起来，四处寻找，然后飞跑到他父亲那边。他过去一看才发现，原来他父亲为了舒舒手脚的筋骨躺了下去。他这才放心，又赶紧回来照顾西班牙人。

这时，我对西班牙人说，让星期五扶他走到小船上去，然后乘船到我们的住所，这样我就可以照顾他。于是星期五把那西班牙人背在身上，向小船那边走去，安置在他父亲身旁。然后，他又立即跳出小船，把船推到水里，划着它沿岸驶去。尽管这时风已刮得很大了，可星期五划得很卖劲，所以船行驶得比我步

视野：当人或动物的眼球固定注视一点时所能看见的空间范围。双眼视野大于单眼视野。当面对不同的颜色时，视野的大小也会有所不同。

星期五弄来食物和淡水，喂给他虚弱的父亲。

担架：医院或军队中用来抬送病人、伤员的用具，一般用竹、木、金属等做架子，中间绷着帆布或绳子。

行还快。他把他们俩安全地载到那条小河里，让他们在船里等着，他自己又马上翻身回去取海边的另一只独木舟。当我从陆路走到小河边时，星期五已经把另一只独木舟划来了。他先把我渡过小河，又去帮助一直在船里的那两位客人下了船。可是他们俩都已无法走动，可怜的星期五为此一筹莫展。

为了解决这一问题，我便开动脑筋。我安排他们俩坐在河边，让星期五过来给我当副手。不久，我们便做了一副类似担架的东西。我和星期五把他们俩放上去，然后一前一后抬着他们往前走。可是，抬到住所围墙外面时，我们又犯难了。因为要把他们两人背过墙去是绝对不可能的，除非拆坏围墙，但我又不愿意这样做。没办法，我和星期五只好动手在围墙外搭个临时帐篷。不到两小时，帐篷就搭成了，而且看起来也挺不错。帐篷顶上盖着旧帆布，帆布上又铺上树枝。帐篷就搭在我的住所围墙外面的那块空地上，也就是说，在外墙和我新

我和星期五动手搭建了一个临时的帐篷。

近种植起来的那片幼林之间。在帐
篷里，我们用一些稻草搭了两张地
铺，上面各铺了一条毯子，再各加
一条毯子作被子。

　　现在，我这小岛上已经有
了居民了，我不禁觉得自
己犹如一个国王。首先，整
个小岛都是我个人的财产，
因此，我对所属的领土拥有一种毫无异议

我盛情款待了小岛上新来的
两位居民。

的主权；其次，我的臣民对我都绝对臣服，我是他们的
全权统治者和立法者，因为他们的性命都是我救下来的，
所以他们都对我感恩戴德，假如有必要，他们个个都会
心甘情愿地为我献出自己的生命。每想到这里，我的心
里就有一种说不出的喜悦。还有一点值得一提的是，我
虽然只有三个臣民，但他们却分属于三个不同的宗教：
星期五是新教徒；他的父亲是异教徒，而且还是个吃人
的生番；而那个西班牙人又是个天主教徒。不过，在我
的领土上，我允许宗教信仰自由。

　　我解救出来的这两个人身体十分虚弱。我把他们安
顿好后，就想给他们弄点吃的东西。我先叫星期五从羊
圈里挑了一只山羊宰了，然后我把山羊的后半截剁下
来，切成小块，叫星期五用清水煮，又在汤里加了点小
麦和大米，打算制成味道鲜美的羊肉糊汤。羊肉糊汤烧
好后，我就端到新帐篷里去，又给他们摆上一张桌子，
坐下来和他们一块儿吃起来。同时，我也和他们又说又
笑，让他们尽可能打起精神来。谈话时，星期五就充当
我的翻译，除了把我的话翻给他父亲听以外，有时也翻
给那西班牙人听，因为那西班牙人已经能将他们部落的
话说得相当不错了。

　　吃完了饭，我就命令星期五驾一只独木舟，去把我

天主教

　　天主教是与东正教、新教并
列的基督教三大派别之一。天主
教以罗马为中心，故又称罗马公
教，于16世纪传入中国，其信徒
将崇奉的神称为"天主"，故在中
国称天主教。

们的短枪和其他枪支搬回来，因为当时时间仓促，这些武器仍留在战场上。第二天，我又命令他把那几个野人的尸体以及他们那场野蛮的人肉宴所残留的残骨剩肉全部埋掉。所有这些工作，星期五都很快就完成了。后来我再到那边去时，要不是靠了那片树林的一角辨别方向，简直认不出那个地方了。

西班牙人向我讲述了他们流落野人岛的经过。

我和这两个新到的臣民进行了一次简短的谈话。首先，我让星期五问问他父亲，那几个坐独木舟逃掉的野人会有什么结果，并问他他们是否会带大批野人卷土重来。星期五的父亲说，那条小船肯定逃不过那天晚上的大风，那些野人不是被淹死在海里，就是被大风刮到南方其他海岸上去了。万一他们真能平安抵达自己的海岸，他们也很可能会告诉自己部落里的人，说那些没有逃出来的人是给霹雳和闪电打死的，而不是给敌人打死的。至于那两个在他们面前出现的人，也就是我和星期五，他们一定以为是从天上下来消灭他们的天神或复仇之神。

《福音书》

《福音书》指《圣经·新约》中的《马太福音》《马可福音》《路加福音》和《约翰福音》，记叙了耶稣基督的生平和经历。1948年，人们在死海附近的洞窟中发现了一个陶瓮，内藏写有《圣经》片段的经卷。

这位年迈的野人说的果然不错。因为后来的事实证明，那些野人再也不敢到岛上来了。看来，那四个人真的从风浪里逃出了性命，回到了自己的部落。部落里的人听了他们四人的报告后真的相信，任何人到这魔岛上来，都会被天神用火烧死。

接下来，我从和那个西班牙人的交谈中得知，目前他们那边还有十六个西班牙人和葡萄牙人。他们自从船只遇难，逃到那边之后，确实也和那些野人相处得很好，但他们的生活必需品却十分匮乏，所以连生存都成为问题。我仔细询问了他们的航程，才知道他们搭的是一条西班牙船，从拉普拉塔河出发，前往哈瓦那。

他又告诉我，他们本来也随身带了一些枪械，但他们所有的弹药都被海水浸湿了，身边仅剩的一点点也在他们初上岸时打猎充饥用完了。

哈瓦那：古巴首都，也是西印度洋最大的城市。哈瓦那气候温和，风光秀丽，素有"加勒比海明珠"之称，至今已经有400多年的历史了。

我问他他们有没有逃跑的打算。他说，他们为此也曾商量过许多次，但因为一没船，二没造船的工具，三没粮食，所以商量来商量去总是没有结果，往往以眼泪和失望收场。

我很坦白地对他说："老实说，我并不是没有能力把他们挽救出来，但我担心帮助他们脱离危险后，他们会背信弃义、恩将仇报。所以，我不想去冒这个险。"

听了我的话，他说，他们都是很文明、很正直的人，目前正在危难之中，命运完全掌握在野人的手里，没有重返故乡的希望。因此，他敢保证，只要我肯救他们脱离大难，他们一定愿意跟我一起出生入死。同时，他又说，如果我愿意的话，他可以同老黑人一起去见他们，同他们谈谈这件事，然后把他们的答复带回来。他说他一定会跟他们订好条件，同时，还要让他们用《圣经》和《福音书》宣誓对我效忠到底，不管我叫他们到哪一个基督教国家去，他们都要毫无异议地跟我去，并绝对服从我的命令，直到他们把我送到我所指定的地方为止。

西班牙人向我宣誓，他一辈子都会忠于我，随我出生入死。

接着他又对我说，他愿意首先向我

摩西

摩西是《圣经》故事中古代犹太人的领袖，曾奉上帝之命把希伯来人带出埃及，并把他们带往"应许之地"迦南。相传，摩西在西奈山上，从上帝那儿接受了"十诫"，并负责颁布施行。

一切都已经准备妥当时，西班牙人却突然提出了自己的顾虑。

宣誓，没有我的命令，他一辈子也不离开我；万一他的同胞有什么背信弃义的事情，他也将和我一起战斗，直至流尽最后一滴血。

听了他这一番保证，我决定尽一切可能冒险救他们出来，并想先派那老野人和这位西班牙人渡海过去同他们交涉。可是，当我们把一切都准备妥当，正要派他们出发时，那个西班牙人忽然提出了反对意见。因为这位西班牙人已和我们一起生活了一个月了。在这一个月里，我让他看到，在上帝的保佑下，我是用什么方法来维持自己的生活的。同时，他也清楚地看到我的粮食储备究竟有多少。这点粮食我和星期五两个人享用当然绰绰有余，但如果不厉行节约，就不够我们四个人吃了。如果他的几位同胞从对岸一起过来，那是肯定不够吃的。如果我们还要造条船，航行到美洲一个基督教国家的殖民地去，这点粮食又怎么够全船的人一路上吃呢？因此，他对我说，让他和星期五父子再开垦一些土地，

把我们能省下来的粮食全部做种子，通通播下去，等到再收获一季庄稼之后，再谈这个问题。这样，等他的同胞过来之后，就有足够的粮食吃了。因为，缺乏生活必需品往往会引起大家的抱怨，他们会认为自己出了火坑，又被投入了大海。

"你知道，"他说，"希伯来人当初被摩西带出埃及时感到很高兴，但在旷野里缺乏面包时，他们却反叛了拯救他们的上帝。"

为了迎接新居民，我们辛勤劳作，努力积攒更多的粮食。

他的顾虑完全是合情合理的，他的建议也是慎重而周到的，这使我十分高兴。于是，我听从了他的劝告，把搭救他的同伴的计划延迟了一年半。

接下来，我们四个人就一起动手用那些木头工具掘地。不到一个月工夫，我们就开垦好了一大片土地。到了播种的季节，我们在这片新开垦的土地上种下了二十二斛大麦和十六罐大米。总之，我们把能省下来的全部粮食都当作种子用了。

现在，我们已有了不少居民，即使那些野人再来，也不用害怕了，除非他们来的人数特别多。我们的脑子里整天都想着逃走和脱险的事情。

为了这个目的，我把几棵适于造船的树做了记号，叫星期五父子把它们砍倒。然后，我又把自己的意图告诉那西班牙人，叫他监督和指挥星期五父子工作。我把自己以前削好的一些木板给他们看，告诉他们我是怎样不辞辛劳地把一棵大树削成木板的，并叫他们照着去做。最后，他们居然用橡树做成了十二块很大的木板，每块约二英尺宽、三十五英尺长、二至四英寸厚。至于这项工作究竟花费了多么艰巨的劳动，我就不多说了。

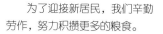

原始畜牧业的产生

在旧石器时代晚期，人们捕捉野兽的能力有很大的提高，因此把一些暂时不吃的活的野兽放在天然洞穴或圈、栅栏里养起来，从而催生了原始的畜牧业。

收获的季节，我们收获了220多斛小麦。

斛：旧时的一种量器，呈方形，底部较大，一斛的容量本来规定为100升，后来改为50升。

同时，我又想尽办法让我那小小的羊群繁殖起来。为此，我让星期五和那西班牙人头一天出去，我和星期五的父亲第二天出去，采用这种轮流出动的办法捉了二十多只小山羊，把它们和原有的羊圈养在一起。

此外，更重要的是，当晒制葡萄的季节到来时，我叫大家采集了大量的葡萄，把它们挂在太阳底下晒干。葡萄干和面包是我们日常生活的主要食品，而且葡萄干又好吃，又富于营养，我们这次制成的葡萄干足足可以装六十至八十大桶，对改善我们的生活起了很大的作用。

收获的季节到了，我们的收成不错，尽管这不能说是岛上的丰收年，但收获的粮食也足够应付我们的需要了。我们种下去的二十斛大麦，现在居然收进并打出来了二百二十多斛，稻米收成的比例也差不多。就是那边十六个人通通到我们这边来，这些存粮也足够我们吃到下一个收获季节，如果我们准备航海的话，也可以在船上装上足够的粮食。有了这些粮食，我们可以开到世界上任何地方去，我是说，可以开到美洲大陆的任何地方去。

我们把收获的粮食收藏妥当后，大家又动手编制更多的藤皮，然后用藤皮编制大筐子用来装存粮。那西班牙人是个编藤皮的好手，编得又好又快，而且总是怪我以前没有编更多的藤皮。

现在，我们已有足够的粮食供应我所盼望的客人了。我决定让那西班牙人和老野人到大陆上去走一趟，看看有什么办法帮助那批还留在那边的人过来。临行之前，我向他下了严格的书面指示，即任何人，如果不先在他和那老野人面前发誓，表明上岛之后决不对我进行任何伤害或攻击的，都不得带到岛上来。因为我是好心把他们接过来，准备救他们脱险的。同时，我还要他们发誓，在遇到有人叛变的时候，一定要和我站在一起，并且无论到什么地方，都要绝对服从我的指挥。

撞击式燧发枪

撞击式燧发枪是居住在伊比利亚半岛上的西班牙人发明的，这种燧发枪的击发机构被称为撞击式燧发机。撞击式燧发枪使用方便，而且发火率和射击精度都很高。

那个西班牙人和那个老野人在接受了我的这些指示后就出发了。他们坐的独木舟是他们被那伙野人当作俘虏载到岛上来时的独木舟中的一只，我还给了他们每人一支短枪，都带着燧发机，又给了他们八份弹药，吩咐他们不到紧急关头不要使用。

这是一件令人愉快的工作，因为二十七年来，这是我第一次为解救自己所采取的实际步骤。我给了他们许多面包和葡萄干，足够他们吃好几天，也足够那批西班牙人吃上七八天。于是我祝他们一路平安，送他们出海。同时，我也同他们约定好他们回来时船上应悬挂的信号。这样，他们回来时，不等靠岸，我便能在远处把他们认出来了。

一切准备妥当后，西班牙人和老野人就乘着小船出发了。

他们出发时，正好是顺风。据我估计，那是十月中旬月圆的一天。至于准确的日期，自从我把日历记错后，就再也弄不清楚了，我甚至连年份有没有记错都没有把握。

10

遇难的英国船

麦哲伦的环球之旅
　　1519年9月20日，葡萄牙贵族费尔南多·麦哲伦率领西班牙远洋船队，进行了人类历史上第一次环球航行，证实了地球是圆形的说法。

我正在睡觉时，星期五突然跑了进来。

　　他们走后，我刚刚等到第八天，忽然发生了一件意外的事情。

　　那天早晨，我在自己的茅舍里睡得正香，星期五忽然跑进来，边跑边嚷："主人，主人，他们来了！他们来了！"

　　听了星期五的话，我立即从床上跳起来，急忙披上衣服，连武器都没有带就穿过小树林跑了出去。当我放眼向海上望去时，不觉大吃一惊。只见四五海里之外，有一只小船正向岸上驶来，但船上没有悬挂信号，所以不是我们所等待的人。

　　接着我就注意到，那小船不是从大陆方向来的，而是从岛的最南端驶过来的。于是我把星期五叫到身边，叫他不要离开我。因为，这些人不是我们所期待的人，我现在还不清楚他们是敌是友。

　　然后，我马上回家去取望远镜，想看清楚他们究竟是些什么人。我搬出梯子，爬上山顶。每当我对什么东西放心不下，想看个清楚，而又不想被别人发现时，就总是爬到山顶来瞭望。

　　我一上小山，就看见

一条大船在我东南偏南的地方停泊着,离我所在方位大约有七八海里,离岸最多四五海里。我一看就知道,那是一艘英国船,而那只小船也是一条英国长艇。

我当时的心绪很乱。一方面,我看到了一艘大船,而且有理由相信船上有我的同胞,所以心里有一种说不出的高兴。然而,另一方面,我心里又产生了一种怀疑。我不知道这种怀疑从何而来,但却促使我警惕起来。首先,我想,一条英国船为什么要开到这一带来呢?因为这儿不是英国人在世界上贸易往来的主要通道。其次,我知道,近来并没有发生过什么暴风雨,不可能把他们的船刮到这一带来。如果他们真的是英国人,他们到这一带来,一定没安好心。我与其落到盗贼和罪犯手里,还不如像以前那样过下去。

有时候,我们明明知道不可能有什么危险,但心里却会受到一种神秘的暗示,警告我们有危险。不管这种神秘的警告从何而来,我们都不应该轻视。就当时的情况来说,要是没有这一警告,我就可能大祸临头,陷入比以往更糟的处境了。

我这么说是完全有理由的,下面我要叙述的情况就完全可以证明这一点。

我在小山上瞭望了没多久,就看见那只小船驶近小岛。他们好像在寻找河湾,以便把船开进来上岸。但他们沿着海岸走得不太远,所以没有发现我从前卸木排的那个小河湾,只好把小船停在离我半英里远的地方。对我来说这是十分幸运的。因为,如果他们进入河湾,就会在我的家门口上岸。那样的话,他们就一定会把我

我看到在不远处的海面上有一艘英国船。

17 世纪英国的贸易转型
17 世纪,英国与西欧、北欧呢绒的贸易趋于衰落,而与利凡特—东印度以及北美殖民地的进口贸易却繁荣起来,这就是所谓的贸易转型。

几个英国人把 3 个俘虏押上了岸。

荷兰：西方十大经济强国之一，面积为 41528 平方千米，人口有 1619.7万，90%以上为荷兰族，此外还有弗里斯族。荷兰境内河流纵横，海岸线长达 1075 千米。

从城堡里赶走，说不定还会把我所有的东西都抢个精光呢！

我看出他们都是英国人，至少大部分是英国人，其中有一个像是荷兰人，这使我非常高兴。我数了一下，他们一共有十一个人，其中三个好像没有带武器，而且仿佛被绑起来了。

船一靠岸，四五个人首先跳上岸，然后把没有带武器的那三个人押下船来。我看到这三个人中一个正在那里指手画脚，做出种种恳求、悲痛和失望的姿势，另外两个人有时也举起双手，显出很苦恼的样子，但没有第一个人那样激动。

这时，星期五在旁边用英语叫了起来："啊，主人，你看英国人也吃俘虏，同野人一样！"

"怎么，星期五，"我说，"你以为他们会吃那几个人吗？"

"是的，"星期五说，"他们一定会吃的。"

"不会，不会，"我说，"星期五，我看他们会杀死他们，但决不会吃他们，这点我敢担保！"

这时，我真希望那西班牙人和那个老野人还在我身边，我也希望自己能有什么办法神不知鬼不觉地走到他们前面，让他们进入我的枪弹的射程以内，把那三个可怜的俘虏救出来。

那些盛气凌人的水手把那三个人横暴地欺负了一番后，便在岛上四散开了，似乎是想看看这儿的环境。同时，我也发现，那三个俘虏的行动也很自由，但他们三个人都在地上坐了下来，看起来心事重重，而且相当绝望。

我突然间想起自己第一次上岸时的心情。那时，我举目四顾，认定自己必死无疑了。我惶恐地四处张望，怕被野兽吃掉，结果提心吊胆地在树上栖息了一夜。我万万没有想到，就在那天晚上，上帝会让风暴和潮水把大船冲近海岸，使我获得了不少生活必需品。后来，正是靠了这些生活必需品，我才度过了最初的日子。

那三个可怜的家伙大概不会想到，造物主从来不会让他自己所创造的生灵陷于绝境。即使是在最恶劣的环境里，他也会给他们一线生机。有时候，他们的救星就近在眼前，比他们想象的要近得多。

这些人上岸时，正是潮水涨得最高的时候。除了三个俘虏垂头丧气地坐在那儿之外，其余的人都东游西逛，错过了潮汛。结果海水退得很远，把他们的小船搁浅在沙滩上。

他们本来也有两个人留在小船上。可是，据我后来了解，这两个人因喝多了酒而睡着了。后来，其中一个先醒来，看见

潮汐的规律

潮汐是由于月亮和太阳的引力而引起的一个周期性变化的海水涨落的现象，很有规律性。中国阴历的初一、十五为大潮，初七、八为小潮。

水手们四处闲逛，只留下3个俘虏愁眉苦脸地坐在岸边。

小船搁浅了，推又推不动，就向那些四散在各处的同伴大声呼唤。于是，岛上的水手们马上都跑到小船旁去帮忙。可是，小船太重，那一带的海岸又是松软的沙土，所以，他们怎么使劲也无法把船推到海里去。

在这种情况下，水手们干脆放弃了推小船，又去四处游荡了。我听见一个水手向另一个水手大声说话，叫他离开小船，用的是我的母语英语："算了吧，杰克，别管它了。潮水上来，船就会浮起来的。"

到目前为止，我一直把自己隐蔽得很好，除了上小山顶上的观察所外，我不敢离开自己的城堡一步。想到自己城堡的防御工事非常坚固，我心里感到很踏实。我知道那只小船至少要过十个小时才能浮起来。到那时，天色也差不多黑了，我就可以靠近些观察他们的行动、偷听他们的谈话了。与此同时，我像以前那样做好战斗准备。这一次，我比过去更加小心了，因为我知道，我要对付的敌人与从前是完全不一样的。

我早已把星期五训练成一个很高明的射手了。现在，我命令他也把自己武装起来。我自己拿了两支鸟枪，给了他三支短枪。我现在的样子真是狰狞可怕，简直像撒旦一样：上身穿着一件羊皮袄，下面是自己制作的牛皮短裤，腰间照常挂着一把没有刀鞘的刀，皮带上插了两支手枪，双肩上各背了一支枪。

前面我已经说过，我不想在天黑之前采取任何行动。下午两点钟左右，天气最热。我发现这些水手都三三两两地跑进树林，大概去睡觉了。那三个可怜的俘虏在一棵大树的荫凉下呆呆地

撒旦：撒旦在英文中是"Satan"，又叫"Beelzebul"，即魔鬼的意思。在《圣经》故事中，撒旦是地狱之王，自创世起至最终审判始终与代表善和美、喜与乐的上帝进行斗争。

我隐藏在树丛后面观察形势。

当我突然出现在那 3 个被俘的人面前时，他们显得十分惊慌。

坐着，离我大约一百多码远。而且，看样子那些水手注意不到这三个人坐的地方。

于是，我决定走过去了解一下他们的情况。我悄悄地向他们走过去，注意着不让那些水手发现。我前面已经说过，我的样子狰狞可怕，星期五远远地跟在我后面，也是全副武装，外形像我一样可怕，但比我稍好一些。

我到了他们附近，还没等他们看见我，就压低声音用西班牙语向他们问道："先生们，你们是什么人？"

一听到叫声，他们吃了一惊，抬头看到我的那副怪模样，更是惊恐得连话都说不出来了。

我见他们打算逃跑，就赶紧用英语对他们说："先生们，别害怕！此刻站在你们眼前的人，也许正是你们的朋友呢！"

"您一定是上帝派下来的，"其中一个说，并脱帽向我致礼，"因为我们的处境非人力所能挽救得了。"

"一切拯救都来自上帝，先生们！"我说，"你们看来正处在危难之中。你们愿意让一个陌生人来帮助你们吗？你们上岸时，我就发现你们了。你们向那些蛮横的

浮力定律

浸入液体中的物体，一方面由于受到地心引力而往下沉，另一方面又因受到液体的浮力而上浮，浮力的大小等于它所排开的液体的重力。这就是浮力定律，据说它是古希腊数学家阿基米德在洗澡时发现的。

船长泪流满面地向我讲述了他的不幸遭遇。

家伙哀求的时候，其中一个人甚至举起刀来要杀害你们呢！这一切我都看到了。"

和我说话的那个人听后显得十分惊异，浑身颤抖着问道："我是在对上帝说话呢，还是在对人说话？你是人，还是天使？"

"这你不用担心，先生。"我说，"如果上帝真的派一位天使来拯救你们，他的穿戴一定会比我好得多，他的武器也一定会与我的完全不一样。请你们放心吧！我是人，而且是英国人。我还有一个仆人，我们都有武器。请你们大胆告诉我，你们到底发生了什么事？我能为你们效劳吗？"

"先生，"他说，"我们的事说来话长，而要残害我们的凶手就近在咫尺。所以，就长话短说吧！先生。我是那条船的船长，我手下的人反叛了。我好不容易才说服他们不杀我。最后，他们把我和这两个人一起押送到这个岛上来。这两个人一个是我的大副，一个是旅客。我们以为这是一个没有人烟的荒岛，在这个荒岛上，我们一定会被饿死的。"

"那些暴徒现在在什么地方？"我问。

"他们正在那边躺着呢，先生。"他指着一个灌木林说，"如果他们看到我们，听到你说话，我们就通通没命了！"

我问那些人有没有枪支。船长回答，他们只有两支枪，一支留在船上了。"那就好了，"我说，"一切由我来处理吧！他们现在都睡着了，我可以趁机把他们都杀掉。不过，如果活捉的话是不是更好？"

船长说，其中有两个是亡命之徒，决不能饶恕他们。只要把这两个坏蛋解决了，其余的人就会回到自己的工作岗位上去。我问是哪两个人。他说现在距离太

大副：船长的主要助手，在船长的领导下主持甲板部的日常工作，履行航行值班职责并协助船长搞好安全航行，主管货物的配载、装卸、交接和其他运输管理等工作。

远，看不清楚。"那好吧，"我说，"我们退远一点，免得他们醒来时发现我们。"于是，他们高兴地跟着我往回走，一直走到树林后面隐蔽好。

"请听我说，先生，"我说，"我如果冒险救你们，你愿意答应我两个条件吗？"

他没等我把条件说出来，就说只要把大船收复回来，他和他的船完全听从我的指挥，如果船收复不回来，他也情愿与我共生死、同存亡。另外的那两个人也做了同样的保证。

"好吧，"我说，"我只有两个条件。第一，你们留在岛上期间，决不能侵犯我在这里的主权；如果我发给你们武器，无论什么时候，只要我向你们要回，你们就得交还给我；你们必须完全服从我的管理，不得在这座岛上反对我或我手下的人。第二，如果收复了那只大船，你们必须把我和我的人免费送回英国。"船长向我做了保证，他认为我的这些要求是完全合情合理的，他将会彻底履行，同时，他还表示会感谢我的救命之恩并终身不忘。

天使

天使"Angel"这个词源于希腊语"angelos"，意为使者。在基督教、犹太教和伊斯兰教中，天使经常扮演着神的使者、随从以及代理人的角色。

我与船长等人隐藏在树丛后，商量对策。

火药

　　火药是中国四大发明之一，是古代炼丹士在炼丹时无意中配制出来的。在中国唐朝末年时，火药就已经被用于军事了。直到14世纪中叶，美、法等国才有应用火药和火器的记载。

　　"那好吧，"我说，"现在我交给你们三支短枪，还有火药和子弹。你们看，下一步该怎么办？"他一再向我表示感谢，并说他情愿听从我的指挥。我对他说，现在的事情很棘手。不过，我认为，最好趁他们现在还睡着，就向他们开火，如果第一排枪放过后，他们还有活着的，并且愿意投降，我们就可以饶他们的命。至于开枪之后能打死多少人，那就只好听从上帝的安排了。

　　船长心地十分善良。他说，除了那两个不可救药的坏蛋外，其余的能不杀死就尽量不要杀死。"那好吧，"我说，"我的建议也是出于不得已，因为这是我们救自己的唯一的办法。"然而，我看他还是很不愿意杀人流血，所以便对他说，这事不妨由他们自己去办，怎样好就怎样干吧。

　　正当我们谈话的时候，听见那边有动静，原来他们中间有几个人醒来了。又过了一会儿，其中有两个人已经站了起来。我问船长这两个人中有没有谋反的头子，他说没有。

　　"那好吧，"我说，"看样子是上帝有意叫醒他们，让他们逃命的。可是，如果

我给每个人发了枪，打算偷袭那些水手。

你让其余的人跑掉，那就是你的错了。"

他听了我的话后，就把我给他的短枪拿在手里，又把一支手枪插在皮带上过去了。他的两个伙伴也跟着他一起过去，每人手里也都拿着一支枪。他那两个伙伴走在前面，大概弄出了一点声响，那两个醒来的水手中有一人听到了响动，转过身来看到了他们，就向其余的人大声叫唤，但已经太迟了。他刚一叫出声，船长的两个伙伴就开枪了。

船长冲上前去，用枪柄打晕了一个水手。

他们都瞄得很准，当场打死了一个，另一个也受了重伤，但还没死。他爬起来，急忙向其余的人呼救。这时船长已一步跳到他跟前，对他说，现在呼救已太迟了，他应该祈求上帝宽恕他的罪恶。说着，船长用枪柄猛地把他打倒在地，叫他再也开不了口。跟那两个水手在一起的还有三个人，其中有一个已经受了轻伤。就在这时，我也到了。他们看到危险临头，知道抵抗已经没有用了，就只好哀求饶命。

船长告诉他们，他可以饶他们的命，但他们得向他保证，表示痛恨自己所犯的反叛的罪行，并宣誓效忠船长，帮他把大船夺回来，然后再把船开回牙买加去，因为他们正是从牙买加来的。这几个人竭力向船长表示他们的诚意，船长也愿意相信他们，并饶他们的命。对此我也并不反对，只是要求船长在他们留在岛上期间把他们的手脚绑起来。

牙买加：位于加勒比海西北部的国家，面积为10991平方千米，海岸线长达1220千米。在牙买加人中，黑人和黑白混血种人占了90%以上，其余为印度人、白人和华人。

与此同时，我派星期五和船长手下的大副到那只小船上去，命令他们把船扣留起来，并把上面的几只桨和帆拿下来。他们都一一照办了。

不一会儿，有三个在别处闲逛的人也回来了。他们

小船上的人最后都投降了。

看见不久前还是他们的俘虏的船长自由了，顿时惊惶失措，很快俯首就擒。这样，我们就大获全胜了。

现在，船长和我已经有时间来打听彼此的情况了。我先开口，把自己的全部经历都告诉了他。他全神贯注地听着我讲，显出无限惊异的神情。特别是在我讲到怎样用奇妙的方式弄到粮食时，船长更显得惊讶万分。当他从我的故事联想到自己的遭遇，想到上帝仿佛有意让我活下来救他的命时，他不禁泪流满面，连话都说不出来了。

谈话结束后，我把他和他的两个伙伴带到我的住所。我照样用梯子翻墙而过。到了家里，我拿出面包和葡萄干之类我常备的食品招待他们，还把我多年来制造的种种设备指给他们看。

船长特别欣赏我的防御工事，欣赏我用一片小树林把住宅完全隐蔽起来。这片小树林到现在已经栽了二十年了，现在已经成了一片小小的森林，而且十分茂密。除了我有意保留的一条弯弯曲曲的小径，其他任何地方都没有通道。我告诉他，这是我的城堡和住宅，但是，我在乡间还有一所别墅。如果需要，我可以去那儿休养一段时期。

目前，我们的首要任务是收复那只大船。船长说他一时也想不出什么办法，因为大船上还有二十六个人。他们既已参加了叛乱，在法律上已犯了死罪，因此已别无出路，只好一不做二不休，硬干到底。因为他们知道，如果失败了，一回英国或任何英国殖民地，他们就会被处以绞刑。所以光靠我们这几个人，是无

绞刑：死刑的一种，也是古代最常用的极刑之一。绞刑可分成缢死和吊死两种。缢死，是指以绳索勒住人的脖子而使之死亡的方法。吊死，是指以绳索将人吊在半空中而使之死亡的方法。

法制伏他们的。

　　我考虑了一会儿，觉得船长的话很有道理，因此做出了如下决定：一方面，我们可以用出其不意的办法，把船上的那伙人引入某个圈套，另一方面，我们得设法阻止他们上岸攻打我们。船长听了我的话，认为就目前的情况来看，这是很明智的选择。

　　这时候，我立刻想到，再过一会儿，大船上的船员不见小船和他们伙伴的动静，一定会感到奇怪，那时，他们就会坐上大船上的另一只小艇上岸来找他们。这些人来时，说不定还会带上武器，这样他们的实力就会大大超过我们了。于是，我告诉船长，我们首先应该把搁浅在沙滩上的那只小船凿破，把船上所有的东西都拿下来，使它无法下水，这样他们就无法把小船划走了。

　　于是我们一起上了小船，把留在上面的那支枪拿了下来，又把上面所能找到的东西通通拿下来。其中有一瓶白兰地、一瓶甘蔗酒、几块饼干、一角火药，以及一大包用帆布包着的糖，大约有五六磅重。这些东西我都非常需要，尤其是糖和白兰地，在好多年前我就已经把仅有的一些吃光了。

　　船上的桨、桅杆、帆、舵等东西早已经被我们拿走了，我们把剩下的这些东西搬上岸之后，又在船底凿了一个大洞。这样一来，即使他们有充足的实力战胜我们，也没法把小船划走了。

　　说实话，我认为收

森林

　　森林通常指大片生长的树木，在林业中指在相当广阔的土地上生长的很多树木，连同在这块土地上的动物以及其他植物所构成的整体。森林有保持水土、调节气候的作用。

船长十分欣赏我筑的围墙。

复大船的把握不大。我认为，只要他们不把那只小船弄走，我们就可以把它重新修好。那样，我们就可乘它去利华德群岛，顺便把那些西班牙朋友也带走。

我们立即按计划行事。首先，我们竭尽全力，把小船推到较高的沙滩上。这样，即使潮水上涨，也不致把船浮起来，何况我们已在船底凿了个大洞，短时间内也无法把洞补好。

正当我们坐在地上，寻思下一步计划时，大船上放了一枪，并且摇动旗帜发出信号，叫小船回去。可是，他们看不见小船上有任何动静，于是又放了几枪，还发出一些其他信号。后来，他们见小船还是没有动静，便把另一只小船放下来，向岸上摇来。当他们逐渐靠近时，我们看出这只小船上载着十来人，而且都带着枪支。

通过望远镜，我们把他们看得一清二楚。船长说，其中有三个人很老实，他们之所以参与谋反，是因为受到了其他人的威吓。那水手长似乎是他们的头目，他和其余的几个人都是船员中最凶狠的家伙。现在，他们既然发动了叛乱，就一定要硬干到底了。因此，船长非常担心我们难以取胜。

利华德群岛：意译为"背风群岛"，位于加勒比海东北缘，包括从维尔京群岛至瓜德罗普岛的一系列岛屿。利华德群岛因处于东北信风带，而比其南部的向风群岛隐蔽些，故得名"背风群岛"。

我向他微微一笑，说："先生，反正任何一种遭遇都比我们当前的遭遇要强。你刚才还认为，上帝让我活在这里是为了拯救你的生命，并使你稍稍振作了一下精神。现在，你的这种信念到哪里去了呢？只有一件事使我感到遗憾。"

"什么事？"他问。

"那就是你说的，他们当中有三个老实人，我们应该饶他们的命。如果他

对于收复大船，船长显得毫无办法。

们也都是暴徒，我真会认为是上帝有意把他们挑出来送到你手里来的呢。因为，我敢担保，凡是上岸的人，都将成为我们的俘虏。"我的话大大鼓起了船长的勇气。于是，我们立即做战斗准备。

　　我们已经妥善地安置了前面的俘虏。俘虏中有两个人，船长对他们特别不放心。我就派星期五和船长手下的一个人把这两个人送到我的洞室里去。那地方很远，决不会被人发现，或听到他们的呼救声；即使他们自己能逃出洞外，在树林里也找不到出路。他们把这两个人都绑了起来安置在洞里，但照样供给他们吃喝，还给了他们几支蜡烛，并答应他们，如果他们安安静静地呆在洞里，一两天之后就可以恢复自由；但如果他们企图逃跑，就格杀勿论。星期五一直在洞口站岗，看守着他们。

　　其余的俘虏受到的待遇要好一些。在船长的推荐下，其中两个人受到了我的录用，当然，他们本人也郑重宣誓，要与我们共存亡。因此，现在我们一共有七个人，并且都是全副武装。所以，我毫不怀疑，我们完全能对付那些即将上岛的十来个人，更何况船长说过，其中还有三四个好人呢。

　　那批人乘船来到头一只小船停泊的地方，接着船上的人通通下了船，一起把小船拉到岸上。看到这一情况，我心里非常高兴。因为我就怕他们把小船在离岸较远的地方下锚，再留几个人在船上看守，那样我们就没

大船上不断发出信号，招呼小船上的人回去。

蜡烛
　　蜡烛是用蜡或其他油脂制成的供照明用的东西，多为圆柱形。在小说中，鲁宾逊用的蜡烛是用动物的油脂制成的。

水手们看见小船破了一个大洞，都非常吃惊。

回声：当声波碰到一个障碍物（如悬崖）时，它会反射回来，我们会再听到这个声音。这种反射回来的声音称为回声。

法夺取小船了。

　　一上岸，他们首先跑去看前一只小船。不难看出，当他们发现船上空空如也，船底还有一个大洞时，都大吃一惊。

　　他们站在那里寻思了一会儿，接着一起使劲大喊了两三次，想让他们那些在岛上的同伴听见，可是毫无结果。接下来，他们又围成一圈，放了一排枪，可是回答他们的只是从山谷里传来的回声。因为那些关在洞里的人听不见枪声，而那些被我们看守着的人虽然听得很清楚，却不敢做任何回应。

　　这种结果使他们万分惊讶。事后他们告诉我们，他们当时决定回到大船上去，告诉船上的人说，那批人都给杀光了，小艇也给凿沉了。于是，他们慌乱起来，赶忙把小船推到水里，一起上了船。看到他们的这一举动，船长非常吃惊，不知如何是好。因为从当时的情况

来看，他们一定会回到大船上去，把船开走，因为他们
认为他们的伙伴都已没命了。那样的话，我们收复大船
的希望就落空了。

　　可是，不久，那批人又有了新的举动。他们把船
划出不远后，又重新返回到到岸边。这次他们采取了
新的措施。看来，他们刚才已商量好了。那就是，三
个人留在小船上，其余的人一起上岸，深入小岛去寻
找他们的伙伴。

　　这使我们大失所望。因为如果我们让小船开跑，即
使我们把岸上的七个人通通抓住，那也毫无用处。那三
个人必然会把小船划回大船，大船上的人必然会起锚扬
帆而去，那我们收复大船的希望同样会落空。

　　此时，我们除了静候事态的发展外别无良策。那七
个人上岸了。三个留在船上的人把船划得远远的，然后
下锚停泊，等岸上的人。这样一来，我们也无法向小船
发动攻击了。

　　那批上岸的人向那座小山头前进。此时，我们可以
把他们看得清清楚楚，可他们根本看不到我们。

　　在小山顶上，他们可以看见那些山谷和森林远远地
向东北延伸，那是岛上
地势最低的地方。他们
一上山顶，就一个劲地
大喊大叫，一直喊得喊
不动为止。看起来，他
们不想远离海岸，深入
小岛腹地冒险，也不愿
彼此分散。于是，他们
坐在一棵树下考虑办
法。如果他们也像前一
批人那样，决定先睡一

山谷

　　山谷是山地中相邻两山背或
山脊间呈线状延伸的低凹部分，
主要由构造作用、流水或冰川等
的侵蚀作用形成。山谷常为通过
山岭的交通要道和设置关隘的军
事要冲。

　　那些水手们找不到同伴，打
算乘船离开，我和船长都很着急。

内流河

不流入海洋而注入内陆湖或消失在沙漠里的河流叫做内流河，也叫内陆河。

那些水手循着声音，走向了小岛的深处。

觉，那倒成全了我们的好事。可是，他们却非常害怕危险，不敢睡觉，尽管他们自己根本就不知道究竟有什么危险。

我们又等了很久，心里忐忑不安。只见他们商议了半天，忽然一起跳起来，向海边走去。这一下，我们心里真有点慌了。看来，他们很害怕这儿真有什么危险，并认为他们那些伙伴都已完蛋了，所以决定不再寻找他们，回大船上去继续他们原定的航行计划。

我把自己的看法告诉了船长，他也十分担心。可是，我很快想出了一个把他们引回来的办法，结果证明这种方法确实有效。

首先，我命令星期五和那位大副越过小河往西走，一直走到那批野人押着星期五登陆的地方，然后大声叫喊，一直喊到让那些水手听见为止。我又向他们交待，在听到那些水手回答之后，再回叫几声，然后不要让他们看见，而是在岛上兜圈子，一面叫着，一面应着，尽可能

把他们引往小岛深处。然后，他们再按
照我指定的路线迂回到我这边来。

　　那些人刚要上小船，星期五
和大副就大声喊叫起来。他们
马上听见了，就一面回答，一面
沿海岸往喊话的方向跑去。跑
了一阵，他们就被小河挡住了
去路。当时小河正在涨水，他们
没法过河，只好把那只小船叫过
来渡他们过去。这一切都在我的
意料之中。

看管船只的水手见同伴已经
被击毙，就乖乖地归顺了我们。

　　等他们渡过河后，我发现小船已向上游行驶了一段
路程，进入了一个好像内流河港口的地方。他们从船上
叫下一个人来跟他们一块儿寻找同伴。现在，船上只留
下两个人了，小船就拴在一棵小柏树上。

　　这一切正合我的心意。我让星期五和大副继续按计
划行事，自己则迅速带其余的人偷偷渡过小河，向船上
那两个人扑过去，打算给他们一个措手不及。当时，一
个人正躺在岸上，一个人还在船里待着。岸上的那个人
半睡半醒，正想爬起来。走在我们前面的船长猛地冲到
他跟前，把他打倒在地。然后，船长又向船上的人大喝
一声，叫他赶快投降，否则就要他的命。

　　船上的那个人看到我们有五个人向他扑过去，而他
的同伴已被打倒，叫他投降是用不着多费口舌的。而他
又是被迫参加叛乱的三个水手之一，所以，他不但很快
就被我们降服了，后来还加入了我们的队伍，忠心地听
命于我。

　　与此同时，星期五和大副也把对付其余几个人的任
务完成得很出色。他们一边喊，一边应，把那几个人从
一座小山引向另一座小山，从一片树林引向另一片树

柏树

　　柏树是柏科树木的总称。全
世界至少有150种柏树。柏树适
应性很强，它既能忍受40℃的酷
暑，也能承受 –31℃的严寒。

返回岸边的水手看见小船上的同伴不见了，不由得大吃一惊。

林，不但把那几个人折腾得精疲力竭，而且把他们引得很远很远，不到天黑他们是绝不可能回到小船上来的。当星期五他们回来和我们会合时也已经疲惫不堪了。

现在我们只需要在暗中监视他们，准备随时向他们进攻，并把他们打败。

星期五他们回来好几个小时后，那批人才回到了他们那只小船停泊的地方。我们老远就能听到走在前面的几个人大声呼唤着走在后面的几个人，要他们快点跟上。接着，我们又听到那后面的几个人一面答应着，一面叫苦不迭，说他们走得脚都痛了，实在走不快了。对我们来说，这是一个很好的消息。

最后，他们总算走到了小船附近。当时潮水已退，小船搁浅在小河里。看到留在船上的两个同伴不知去向，他们都惊慌失措。我们听见他们互相你呼我唤，说是上了一个魔岛，岛上不是有人，就是有妖怪。他们惶惶然地跑来跑去，过了一会儿又开始大声呼唤，不断地喊着他们那两个伙伴的名字，可是毫无回应。

我们从傍晚暗淡下来的光线中看到他们一会儿跑到小船上，一会儿又跑到岸上，徒劳地奔来奔去。这时，我手下的人恨不得趁着夜色立即向他们扑过去，可是我想找一个更有利的进攻机会，尽可能少杀死几个人。并且因为对方都是全部武装，所以我很害怕贸然进攻会让我自己的人有伤亡。所以我决定等一等，看看他们是否会散开。并且，为了更有把握制伏他们，我命令手下的人再向前推进，隐蔽起来，还让星期五和船长尽可能贴着

迷彩服

迷彩服的"迷彩"一般是由绿、黄、黑等颜色组成的不规则图案，其反射光波与周围景物反射的光波大致相同。身着迷彩服在丛林中行动，隐蔽效果极佳。

地面匍匐前进，在动手开枪之前，爬得离那几个人越近越好。

星期五他们向前爬了不多一会儿，那水手长就带着另外两个水手朝他们走来。这水手长是这次叛乱的主要头目，现在比其他人更垂头丧气。船长急不可耐，不等走近看清楚，就同星期五一起跳起来向水手长等人开了枪。

水手长：在船上，在大副领导下，组织领导木匠和水手进行工作的人。其中木匠执行木工及有关工作，在水手长不在或因故不能工作时代行水手长的职责。

那水手长当场中弹身亡。原来跟在他身边的一个人也中弹受伤，倒在水手长身旁，在一两个小时后也死了。第三个人侥幸躲过了子弹，拔腿就跑。

我一听见枪响，立即带领全军前进。我的这支军队现在一共有八个人，那就是我和星期五，船长和他的两个部下，以及三个我们信得过的俘虏，我给他们也发了枪。

那个原来被水手长等人留在小船上的人现在已是我们的人了。我命令他喊那些水手的名字，看看能否促使他们和我们谈判，让他们投降。于是，他尽量提高嗓门，喊出他们中间一个人的名字："汤姆·史密斯！汤姆·史密斯！"

很快，一个回应的声音传来："是鲁宾逊吗？"

原来，那个人恰好也叫鲁宾逊。他回答："是啊，是我！看在上帝份儿上，汤姆·史密斯，快放下武器投降吧！要不你们马上都没命了。"

"你让我们向谁投降？他们在哪儿？"史密斯问。

"他们在这儿！"那个鲁宾逊说，"我们船长也在这儿，带了五十个人，已经搜寻你们两小时了。水手长已经被打死了。"

凶恶的水手长被船长一枪击毙了。

维尔·佛莱也已经受伤了。我被俘虏了。你们不投降就完蛋了！"

"如果我们投降，"史密斯说，"他们肯饶我们的命吗？"

"只要你们肯投降，我就去问问看。"鲁宾逊回答。

这时，船长亲自出来喊话了："喂，史密斯，你听得出，这是我的声音！只要你们放下武器投降，我就饶你们的命，只有威尔·阿金斯除外！"

听到这话，威尔·阿金斯叫喊起来："看在上帝份儿上，船长，饶了我吧！我做了什么呢？他们都和我一样坏！"

但事实并非像他所说的那样。因为，从当时的情况来看，在他们这次发动叛乱的时候，正是这个威尔·阿金斯首先把船长抓起来的，并且对船长的态度还十分蛮横。他把船长的两只手绑起来，又用恶毒的语言谩骂船长。

这时，船长告诉他，他必须首先放下武器，然后听候总督处理。所谓总督，指的就是我，因为现在他们都

总督：有些宗主国在其殖民地的代表称为"总督"。英联邦部分成员国如加拿大、新西兰等国设有由英王任命的总督，作为英王的代表。

被俘的水手纷纷跪在地上，请求船长饶恕他们。

叫我总督。

他们果然都乖乖地放下了武器。于是，我派那个和他们谈判的人以及另外两个水手把他们通通绑起来。然后，我那五十人的大军——其实，我们总共只有八个人——便上去把他们和他们的小船一起扣起来。

我们下一步的工作就是把那凿破的小船修好，并设法把大船夺回来。而船长这时也有时间与他的那些水手们谈判了。水手们一个个都表示很后悔，并苦苦哀求船长的饶恕。船长告诉他们，他本来以为自己被他们送到了一个杳无人烟的荒岛上，但上帝要他们把他送到有人居住的岛上，而且，岛上还有一位英国总督。所以，他们不是他的俘虏，而是岛上总督的俘虏。船长说，如果总督认为有必要，就可以把他们通通吊死。但现在他决定饶恕他们，大概要把他们送回英国，秉公治罪。但阿金斯除外，第二天早晨就要被吊死。

我派一个水手跑去传话给船长，船长毕恭毕敬地回答。

这些话虽然都是船长杜撰出来的，然而却达到了预期的效果。阿金斯跪下来哀求船长向总督求情，饶他一命。其余的人也一起向船长哀求，求他不要把他们送回英国。

这时我忽然想到，我们获救的时刻到了。如果现在把这些人争取过来，让他们全心全意去夺取那只大船，已经不是什么难事了。于是，我在夜色中离开了他们，免得他们看见我是一个怎样的总督。然后，我派了一个人去传话："船长，总督叫你。"船长马上回答："回去

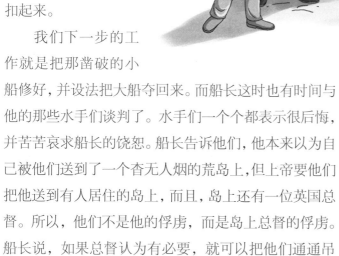
殖民地

殖民地最初指一国在国外侵占并大批移民的地区。在资本主义时期特别是在帝国主义阶段，殖民地指遭受外来侵略、丧失主权和独立、在政治上和经济上完全由宗主国统治和支配的地区。

对于我的夺船计划，船长表示十分赞同。

告诉总督，我就来。"这样一来，这些水手就更加深信不疑了。他们都相信，总督和他手下的五十名士兵就在附近。

船长一到，我就把夺船的计划告诉了他。船长认为我的计划非常周密，就决定第二天早晨付诸实施。但是，为了让计划执行得更巧妙，更有成功的把握，我对船长说，我们必须把俘虏分开处理。首先，他应去把阿金斯和其他两个最坏的家伙绑起来，送到我们拘留另外几个人的那个石洞里去。这件事我们交给星期五和那两个跟船长一起上岸的人去办了。

星期五等人把俘虏押解到石洞里，好像把他们投入监狱一样。事实上，那地方也确实够凄凉的，尤其是对于他们这种处境的人，更是阴森可怕。

我又命令把其余的俘虏送到我的乡间别墅里去。关于这别墅，我前面已做过详尽的介绍。那边本来就有围墙，他们又都被捆绑着，所以把他们关在那里相当可靠。再说，他们也知道，他们的前途取决于他们自己的表现，因此谁都不敢轻举妄动。

到了早晨，我便派船长去同他们谈判，目的是要他去摸摸他们的底，然后回来向我汇报，看看派他们一起去夺回大船是否可靠。船长先跟他们谈到他们对自己的伤害以及他们目前的处境，又对他们说，虽然现在总督已饶了他们的命，可是，如果把他们送回英国，他们还

监狱

监狱是监禁罪犯的场所，国家机器的组成部分，阶级专政的工具之一，也是国家刑法的执行机关。例如，18世纪时，法国的巴士底狱象征着法国封建专制统治，巴黎人民攻陷巴士底狱，揭开了法国大革命的序幕。

是会被当局用铁链吊死的。

不过，如果他们肯参加夺回大船的正义行动，他一定请求总督同意赦免他们。

任何人都不难想象，处在他们的境况下，对于这个建议真是求之不得。他们一起跪在船长面前，苦苦哀求，答应对他誓死效忠，并且说，他们将永远感激他的救命之恩，甘愿跟他走遍天涯海角，还要毕生把他当作父亲一样看待。

"好吧，"船长说，"我现在回去向总督汇报，尽力劝他同意赦免你们。"于是，他回来把他们当前的思想情况原原本本地向我做了汇报，并且说，他完全相信他们是会效忠的。

话虽如此，为了保险起见，我叫船长再回去一趟，从他们七个人中挑出五个人来。我要他告诉那些人，他现在并不缺少人手，现在只要挑选五个人做他的助手，总督要把其余两个人以及那三个已经押送到城堡里去的俘虏留下来做人质，以保证参加行动的那五个人的忠诚。如果他们在执行任务过程中有任何不忠诚的表现，留在岛上的五个人质就要在岸上用铁链活活吊死。

这个办法看起来相当严厉，使他们相信总督办事是很认真的，他们除了乖乖接受外别无办法。结果，那几个俘虏反而和船长一样认真，劝告参加行动的五个人尽力尽责。

人质：泛指其人身被扣押，其生命被用作迫使对方承诺某种条件或保证某种条约、诺言履行的人。

俘虏们一再表示一定会对船长忠诚。

11

收复大船

一切都准备妥当之后，船长就带领着这批人出发了。

现在，船长已经有十一个人可以支配了，他将带领这些人去收复大船。这十一个人是：大副和旅客；第二批俘虏中的两个水手，我从船长口里了解了他们的品行后恢复了他们的自由，并发给了他们武器；另外两个水手，这两个人直到现在还被捆绑着关在我的别墅里，现在经船长建议，我也把他们释放了；那五个最后挑选出来的人。

我认为，我和星期五不宜出动，因为岛上还有七个俘虏，五个关在城堡的石洞里，两个没有关起来，但照样得看守着，并且我和星期五还得供给这些人饮食，也够我们忙的了。我让星期五一天送两次食物给关在城堡中的人。我要其他两个人先帮忙把东西送到一个指定的地点，然后再由星期五送去。

当我第一次在那两个人质面前露面时，我是同船长一起去的。船长向他们介绍，我是由总督派来监视他们的。总督的命令是，没有我的指示，他们不得乱跑。如果乱跑，就把他们抓起来送到城堡里去，用铁链子锁起来。为了不让他们知道我就是总督，我现在是以另一个人的身份出现的，并不时地向他们谈到总督、驻军和城堡等问题。

船长现在只要把留在沙滩上的那只小船的洞补好，再把两只小船装备好，分派好人员，就算准备妥当了。他指定他的旅客做一条小船的船长，带上另外四名水

船楼和甲板室

船楼和甲板室总称为船的上层建筑。所谓船楼是指两侧都延伸至船舷或很接近船舷的上层建筑；甲板室是指两侧不接近舷边的上层建筑。

手。他自己、大副和另外五名水手上了另一条小船。

　　他们的事情进行得很顺利。到了半夜，他们已到了大船旁。当他们划到能够向大船喊话时，船长就命令那个叫鲁宾逊的水手同大船上的人招呼，告诉大船上的人去小岛的人和船都已回来了，他们是花了很长时间才把人和船找回来的。他们一面用这些话敷衍着，一面靠拢了大船。当小船一靠上大船，船长和大副首先带枪上了船。这时，船长手下的人都表现得很忠诚，在他们的协助下船长和大副很快就用枪柄把二副和木匠打倒了。紧接着他们又把前后甲板上的其他人全都制服，并关好舱口，把舱底下的人关在下面。

二副：在船长、大副的领导下履行航行和停泊所规定的值班职责，并主管驾驶设备的人。二副应熟悉并遵守值班、联系制度，以及航行安全、技术操作方面的规章制度。

　　这时，第二只小船上的人也从船头的铁索上爬上来，占领了船头和通向厨房的小舱口，并把在厨房里碰到的三个人俘虏了。

　　这一切完成后，又肃清了甲板，船长就命令大副带着三个人进攻船楼和甲板室，去抓睡在那里做了新船长的叛徒。这时，那新船长已听到了警报，从床上爬了起来。他身边有两个船员和一个小听差，每人手里都有枪。当大副用一根铁橇杠把门劈开时，那新船长和他手

　　在那些水手们的协助下，船长和大副很快就把甲板上的人制服了。

下的人就不顾一切地向他们开火。一颗短枪子弹打伤了大副，把他的胳膊打伤了，还打伤了其他两个人，但没有死人。

　　大副虽然受了伤，但还是勇敢地冲进船长

葡萄酒

葡萄酒是一种以新鲜葡萄或葡萄液经发酵酿制的低度饮料酒，是佐餐酒的一种。葡萄酒至今已有6000多年历史了，其发源地可能是波斯、埃及或希腊。

室，对准惊惶失措的新船长开了一枪。子弹击穿了新船长的头部，他没有说一句话就倒在地上死了。其余的人看到这情形，都纷纷投降。于是，大船就被稳稳当当地夺了过来，再也没有发生任何伤亡。

占领大船后，船长马上下令连续放枪，通知我事情成功了。这是我和他约定的信号。我一直坐在岸边等候这个信号，差不多一直等到了半夜两点钟。当我听到枪声时欣喜若狂，简直有点不敢相信了。

我已经忙碌了整整一天，早已疲惫不堪了，所以当情绪平复了一些之后，我便倒下来睡觉。不知道究竟过了多久，一声枪响突然把我惊醒，我马上爬了起来，听到有人在喊我："总督！总督！"我听出是船长的声音，就赶紧出门爬上小山头，一看果然是他。

我向他奔过去，他也向我奔过来，我们紧紧地拥抱在一起，船长指着大船说："我亲爱的朋友，我的救命恩人！"他说，"这是你的船，它是你的，我们这些人和船上的一切也都是你的！"

受伤的大副奋不顾身地冲进船长室，一枪结果了新船长的性命。

我看了看大船，只见它停泊在离岸不到半英里的地方。原来，船长他们夺回了大船后，看见天气晴朗，便起了锚，把船一直开到小河口停了下来。这时正好涨潮，他们就乘着长艇到我当初卸木排的地方，也就是我的城堡的门口，上岸后一路跑来告诉我好消息。

这突如其来的喜讯几乎使我晕倒在地，我真切地感到自己脱险的事情已经十拿九稳了，现在这艘大船可以把我送到任何我想去的地方。有那么一会儿，我一句话也说不出来。如果不是船长紧紧抱着我，我也紧紧靠在他身上，我早已瘫倒在地上了。

这时，我也没有忘记衷心感谢上帝。在这荒无人烟的小岛上，在这样孤苦伶仃的处境中，我不仅没有饿死，而且还一次又一次地绝处逢生，这正是上帝的奇迹，也是上帝对我的恩赐。上帝如此厚爱其子民，谁能不衷心地感激他呢？

船长鸣枪示意事情成功了。

船长看见我那么激动，马上从衣袋里取出一个起子，把他特地为我带来的葡萄酒给我打开，让我喝了几口。喝完之后，我就坐在地上。虽然这几口酒使我清醒了过来，可是又过了很久，我才说得出话来。

其实，船长也和我一样欣喜若狂，只是不像我那么激动罢了。他对我说了无数亲切温暖的话，让我安定下来。但我心中惊喜交加，竟不能自已。最后，我失声大哭。我告诉他，在我看来，他是上天特意派来救我脱险的，又说这件事的经过简直是一连串的奇迹。这些事情证明，有一种天意在冥冥中支配着世界，证明上帝无所不在，并能看清世上发生的一切，只要他愿意，任何时候都可以救助不幸的人。

起子：开瓶盖的工具，前端是椭圆形的环，后面有柄，多用金属制成。开酒瓶时经常会用到起子。

船长跟我谈了一会儿，然后说他给我带了一点饮料和食品。说着，他向小船高声喊了一声，吩咐手下人把献给总督的东西搬上岸来。这可是一份丰厚的礼物，其中包括我能想到的所有东西。

我拥抱了船长，感谢他送给我那么丰厚的礼物。

船长给我的礼物中有六件新衬衫、六条上等领巾、两副手套、一双鞋、一顶帽子、一双长袜，还有一套他自己穿的西装。当我穿上这些衣服后，才感觉自己像一个"总督"。只是，我刚把这些衣服穿上身的时候，感到既不舒服，又很别扭。因为二十多年来，我穿的都是自制的衣服。

船长还给我带来了一箱糖、一箱面粉、一袋柠檬、两瓶柠檬汁和许多其他的东西。这些生活必需品我很久以前就已经没有了，初看起来，好像船长要让我继续在岛上待下去，不准备把我带走了似的。

另外，船长还给我带来了一箱高级的提神酒、六大瓶马德拉白葡萄酒（每瓶有两夸脱）、两磅上等烟叶、十二块上好的牛肉脯、六块猪肉、一袋豆子和大约一百磅饼干。

马德拉：北大西洋上一个属于葡萄牙的群岛，其主岛也以"马德拉"命名。马德拉群岛位于里斯本西南约1000千米处，离摩洛哥的海岸线约600千米。它由马德拉岛、桑塔岛和两个无人居住的小岛群组成。

不难想象，对于我这种处境的人，这实在是一份慷慨而令人惊喜的礼物。我紧紧地拥抱了船长，衷心地感谢他的好意。

接下来，如何处置俘虏就成为一个问题，我们得考虑是否冒险把他们带走。尤其是他们中间有两个人，我们认为是绝对无可救药的暴徒。船长也认为没法宽恕他们。但是如果把这些人带走，我们就必须把他们像犯人一样关起来，等我们的船开到一个英国殖民地，再把他们送交当局法办，但是谁都很难保证航程中不会出现意外。因此，我和船长商量，如果他同意，我可以负责说服那两个人，让他们自己提出请求留在岛上。

"我很高兴你能那样做，"船长说，"我完全同意！"

"那很好，"我说，"我现在就把他们叫来，替你和他们谈谈。"

于是，我吩咐星期五和那两个人质去把那五个人带来。当时，我们早已把那两个人质释放了，因为他们的同伙实践了他们的诺言。星期五和那两个人质一起去了洞室，把关在那儿的五个人带到我的乡间别墅里关押了起来，等我去处置。

过了一会儿，我穿上新衣服，稍加修饰一番，便以总督的身份去和他们见面，船长也和我一起去了。我在他们面前表现得非常威严，对他们说，关于他们对船长所做的事情，我已经获得了详细的报告。我已经了解到他们怎样把船夺走，并还准备继续去干抢劫的勾当。但上帝却使他们自投罗网，跌进了他们替别人挖掘的陷阱。接着，我让他们知道，在我的指挥下，大船已经夺回来了，现在正停泊在海口。他们过一会儿就可以看到，他们的新船长将被吊在桅杆顶上示众。至于他们，我倒想知道他们还有什么话可说。我还特意说明，我完

西装

西装是欧洲的传统服装。其特点是有翻驳领、3只开袋，肩部宽厚，后背做背缝。西装可分为便服和礼服两类。

我刮掉胡子，穿上西装，以总督的身份出现在这些水手面前。

奶油

奶油一般指从牛奶中提取出的半固体物质，白色、微黄，其脂肪含量比黄油低，通常用作糕点和糖果的原料。不过，小说中鲁宾逊在岛上常用的奶油应该是从羊奶中提取出来的。

我假装为了袒护俘虏，和船长发生了争执。

全可以把他们以海盗论处，并且，我完全有权把他们统统处死。

这时，他们中间有一个人出来代表大家说话了。他说，虽然他们没有理由请求宽恕，但是他们被俘时，船长曾答应过饶他们不死。

可是，我告诉他们，船长只能把他们当作囚犯关起来，带回英国，并以谋反和劫船的罪名将他们送交当局审判，其结果他们应该都知道，那必定是上绞刑架。因为我已决定带着手下的人离开本岛，跟船长一起搭船回英国，所以我不知道该如何宽宥他们，除非他们决定留在岛上，听任命运的安排。如果他们同意这个办法，我本人没有意见，因为我已经决定离开本岛了。

他们对于我所表现出来的宽容表示十分感激。他们说，他们宁可冒险留在岛上，也不愿被带回英国吊死。所以，我就决定这样处置他们了。然而，船长似乎不太同意这个办法，表示不敢把他们留在岛上。于是，我故意对船长做出生气的样子，对他说，他们是我的俘虏，而不是他的俘虏。我既然已经对他们留下了这条活路，我说的话就应该算数。如果他不同意，我就把他们放掉，只当我没有抓过他们。如果船长不愿意给他们自由，他可以自己去把他们抓回来，随意处置，只要他能抓得住他们。

看到这种情况，那些人对我更加感激了。于是，我释放了他们，并告诉他们，如果他们愿意接受，我可以给他们留一些枪支弹药和生活必需品，并指导他们怎样在岛上好好生活。

解决了俘虏的问

题，我们就开始做上船的准备了。我对船长说，我还得做些准备，所以还得在岛上耽搁一个晚上。我吩咐他先回船上，把一切安排好，到第二天再放小船到岸上来接我。我特别下令，让他把那打死的新船长吊在桅杆顶上示众。

我带着俘虏参观了我的乡间别墅。

　　船长走后，我派人把那几个人带到我前面。我又很严肃地和他们谈了一次话，分析了他们当前的处境。我对他们说，我认为他们的选择是正确的，如果让船长把他们带走，其结果必然是上绞刑架。我把那吊在大船桅杆顶上的新船长指给他们看，并告诉他们，如果他们和我们一起走，必然会落得如此下场。

　　果然，他们都一致表示很高兴能留在岛上。于是，我把自己在岛上生活的情况都告诉他们，并教他们怎样把生活过好。我谈了小岛的环境，以及我在岛上的生活经历。我领他们看了我的城堡，告诉他们如何做面包、种庄稼、晒制葡萄干。我也把养山羊的方法教给了他们，告诉他们怎样把羊养肥，怎样挤羊奶、做奶油、制乳酪。总之，一切能使他们的生活过得舒适一点的办法，我都告诉他们了。接着，我又把那十六个西班牙人的事情告诉了他们，并对他们说明，不久那十六个西班牙人也要来岛上。我给那些西班牙人留了一封信，并要他们答应对这些人一视同仁。

乳酪：用新鲜牛乳或羊乳加入凝乳酵素，经过发酵制成的半凝固食品。相传，乳酪的制作原理最早是由阿拉伯游牧民族发现的。

我把在岛上生活的一切技巧都教给了留在岛上的俘虏。

我把自己拥有的武器都留给了他们，其中包括五支短枪和三支鸟枪，外加三把刀以及一桶半火药。我之所以还有这么多火药，是因为我用得很省，除了开始两年用掉了一些外，后来我就一点都不敢浪费了。

此外，我还对他们说，我要劝船长再给他们留下两桶火药与一些菜种。我还说明，菜种一直是我求之不得的东西。说完，我把船长送给我的一袋豆子也留给了他们，嘱咐他们在合适的时候把它们种下去。

这些事情办完后，我就离开他们，上了大船。我们本来准备立即开船的，可是因为种种原因直到第二天才起锚。第二天一大早，岛上的那五个人中的两个人忽然向船边泅来。他们向我们诉说另外那三个人怎样歧视他们，恳求我们收留他们，不然他们就会被那三个人杀死。他们哀求着说，只要能离开这个荒岛，即使马上被吊死也心甘情愿。

豆类作物

豆类作物是指以收获成熟籽粒为目的的一类作物，主要包括大豆、花生、蚕豆、豌豆和菜豆等。豆类作物成熟籽粒中的蛋白质含量高于其他作物，可直接使用或加工成各种豆制品。

船长看到这种情形，就假装自己无权决定，要征得我的同意才行。后来，我和船长经过慎重的考虑才决定带上他们，于是把他们拉上了船。他们痛哭流涕，发誓痛改前非，但是即便如此，我们还是用鞭子把他们俩都结结实实地痛打了一顿，打完后再用盐和醋擦了他们的伤口。我们希望这样能使他们更好地记住这次的教训。后来的旅行中的一切证实，他们确实得到了教训，表现得很安分。

等到潮水上涨的时候，我就命令几个水手把我答应给岛上那三个人的东西用小船运到岸上去。我又向船长

说情，把他们三个人的箱子和衣服也一起送去。我还让
送东西去的水手告诉那三个人，我一定不会忘记他们，
如果将来有机会，我一定会再来看他们，并给他们提供
力所能及的帮助。

在离开小岛的时候，岛上的一切都让我感到亲切。
我把自己做的那顶羊皮帽、羊皮伞和我那只叫"波尔"
的鹦鹉都带上船作为纪念。同时，我也没有忘记把自己
的钱拿走。这些钱一共有两笔：一笔是从我到岛上时所
乘的破船上拿下来的，另一笔是从那条失事的西班牙船
上找到的。这些钱由于一直存放在岛上没有使用的机
会，现在都已经生锈了。若不经过一番磨擦和处理，谁
也认不出这些东西是银币。至于星期五，他已经决定永
远忠实地追随我。

根据船上的日历，我在一六八六年十二月十九日离
开了这个海岛。这一天恰好和我第一次从萨累的摩尔人
手里逃出来的那一天同月同日。这么算来，我一共
在岛上住了二十八年两个月零十九天。

生锈

生锈是指金属在含有酸性气
体（例如二氧化碳）的潮湿空气、
水或泥土中，或在其他条件下被
氧化而在表面上形成氧化物、含
水氧化物或碱式盐的过程。

在孤独地生活了28年后，我
终于离开了小岛。

12

重返故乡

在我最无助的时候，船长给我送来了200英镑作为谢礼。

约克郡：英国的一个郡，1974年其主体被分置为北、西、南约克三郡。位于英格兰北部的乌兹河畔的约克市长期为北约克郡的经济文化中心。

经过半年多的航行，我终于在一六八七年七月十一日抵达英国。计算起来，我离开故乡已经有三十五年了。

我回到英国，人人都把我当外国人，好像我从未在英国住过似的。那位替我保管钱财的寡妇还活着，不过她的境遇非常不好。我叫她不要把欠我钱的事放在心上，为了报答她以前对我的关心和忠诚，我又尽自己的微薄财力给了她一点接济。我向她保证，我永远不会忘记她以前对我的好处，并告诉她，等将来有能力时，我一定会帮助她。

之后，我去了约克郡。我的父亲已经过世，我的母亲也已作古了。我只找到了我的两个妹妹和一个哥哥的两个孩子。因为大家都以为我早已不在人世，所以没有留给我一点遗产，而我身上的一点钱根本不够我维持家用。在我最窘迫的时候，和我一起回来的船长前来拜访我。为了报答我的救命之恩，他送给我两百英镑作为酬谢，这让我的生活暂时有了保障。

经过对当前处境的反复考虑之后，我决定到葡萄牙的首都里斯本去一趟，看看能不能打听到我在巴西的种植园和合伙人的情况。

于是，我带着星期五来到了里斯本。经过多方打听，我找到了我的老朋友，也就是以前带我去巴西的那位船长。我高兴极了。船长现在年事已高，早就不再出海了，而且他也已经认不出我了。不过当我告诉他我是谁时，他还是很快就想了起来。

老人告诉我，他已经有九年没有到过巴西了，但他敢肯定，他最后一次去巴西的时候，我的合伙人还活着。他相信，到现在我的甘蔗园还在经营着。

接着，我又问他是否知道种植园发展的情况。我想知道，在他看来，种植园是否还值得经营下去，如果我去巴西，要把我应得的部分利益收回来，是否会遇到什么困难。

他对我说，种植园发展的具体情况他也不清楚。可是他知道，我的合伙人尽管只享有种植园一半的收入，也已成了当地的巨富。他又告诉我，我的那两位代理人都是很公正诚实的人，而且都很富有。他相信，我肯定可以获得他们的帮助，领到属于我的财产。

后来，在老船长的帮助下，我联系到了我在巴西的合伙人。当我看到自己所拥有的财富时，我简直无法表达自己的感觉。忽然之间，我成了拥有五千英镑现款的富翁，而且在巴西还有一份产业，每年有一千英镑以上的收入。

我想做的第一件事，就是去报答我的恩人——慈爱的老船长。以前，在我遇到困难的时候，他毫不犹豫地帮助我，现在凡是我拥有的东西，我都要与他分享。我委任老船长作为我的那个

葡萄牙

葡萄牙地处欧洲伊比利亚半岛的西南部，是欧洲古国之一，其首都是里斯本。葡萄牙的居民中99%以上为葡萄牙人，其余为西班牙人等，97%以上葡萄牙居民信奉天主教。

经过多方打听，我终于找到了当初带我到巴西的那位船长。

汇票：有商业汇票和银行汇票
两种。商业汇票是由售货人对购
货人或其委托的银行开发，经购
货人或其委托的银行在票上签章
承兑，承认于汇票到期日付款给
持票人的票据。银行汇票是一种
汇款凭证，用以兑取汇款。

种植园的年息管理人，并指定我那位合伙人向他报告账目，把我应得的收入交给那些长年来往于巴西和里斯本的船队，再由他们带给老船长。委托书的最后一款是，老船长在世之日，每年可从我的收入中获得一百葡萄牙金币；在他死后，他的儿子每年可从中获得五十葡萄牙金币。

另外，我也想到了那位可怜的寡妇。他的丈夫是我的第一位恩人，而且，她本人在有能力时，一直是我忠实的管家，并尽长辈之责经常开导我。因此，我请一位在里斯本的商人写信给他在伦敦的关系人，请那个人替我把汇票兑成现款，还请他亲自找到那位可怜的寡妇，替我把一百英镑的现款交给她，并转告她，只要我活在人世，以后还会接济她。同时，我又给我那两个住在乡下的妹妹每人寄了一百英镑。

一六八九年一月十四日，我平安地从巴西回到了英国。这时正逢寒冬，当星期五发现到处白雪皑皑，而天气又那么寒冷的时候吃惊不已，因为这些在他过去的生活经历中还从来没有过呢！

星期五第一次见到雪花，既兴奋又新奇。

时光飞逝，自我离开那座荒岛到现在，已经有七八年了。这时，我那在海外经商的侄子从西班牙回来，极力游说我乘他的船到东印度去，这一年是一六九四年。

在这次航行中，我重新拜访了那座荒岛。我看望了那些从野人岛过来的西班牙人，了解了他们的生活情况。这时，我才知道起初留在岛上的那几个恶棍欺负那批西班

牙人，后来那些西班牙人不得不联合起来用武力对付他们，最后逼得他们妥协了。

除了这些事情外，那儿还发生了不少惊险的故事。曾有三百来个加勒比土著入侵海岛，破坏了他们的种植园。他们曾两次与这些野人作战，起先被野人打败了，死了三个人。但是，风暴摧毁了土著的独木舟，其余的野人不是被饿死就是被消灭了。这样，那些西班牙人才重新收复了种植园，后来，他们还派了五个人攻到大陆上去，虏来了十一个男人和五个女人。所以，当我这次重访小岛时，那儿已经有了二十来个孩子。

我在岛上逗留了大约二十天，给他们留下了各种日用必需品，特别是枪支弹药、衣服和工具，以及我从英国带来的两个工人：一个是木匠，另一个是铁匠。此外，我根据他们的要求，把全岛的领土一一分给他们。这样，我替他们解决了土地的归属问题，但我自己保留了全岛的主权。做完这些事情之后，我就离开了。

七八年后，我带着星期五重游小岛。

巴西

巴西位于南美洲东南部，面积为854.7万平方千米，是拉丁美洲面积最大的国家，其首都为巴西利亚。

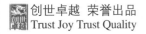
创世卓越　荣誉出品
Trust Joy Trust Quality

图书在版编目（CIP）数据

鲁宾逊漂流记／（英）笛福著；创世卓越改编.
北京：北京少年儿童出版社，2007.1
（一生必读的经典世界十大名著：青少年版／纪江红主编）
ISBN 978-7-5301-1897-9

Ⅰ.鲁…Ⅱ.①笛…②创…Ⅲ.长篇小说—英国—近代—缩写本　Ⅳ.I561.44

中国版本图书馆 CIP 数据核字（2007）第 006573 号

一生必读的经典世界十大名著（青少年版）

鲁宾逊漂流记
——LUBINXUN PIAOLIU JI——

（英）笛福　著

创世卓越　改编

总 策 划	邢　涛	出　　版	北京出版集团公司
主　　编	纪江红		北京少年儿童出版社
执行主编	龚　勋	总 发 行	北京出版集团公司
编　　审	丛龙艳	地　　址	北京北三环中路6号
改　　写	包萧红	邮　　编	100120
责任编辑	孙文鑫	网　　址	www.bph.com.cn
装帧设计	韩欣宇	经　　销	新华书店
美术统筹	赵东方	印　　刷	三河市嘉科万达彩色印刷有限公司
版面设计	李婷婷	开　　本	787 × 1092　1/16
插图绘制	贝贝熊插画工作室	印　　张	12
责任印制	李文宗　李巍	版 印 次	2013年10月第1版第27次印刷
质量监督电话　010-58572393		书　　号	ISBN 978-7-5301-1897-9/I · 690
		定　　价	15.80元